La sombra
sobre
Innsmouth

H. P. Lovecraft

La sombra sobre Innsmouth

Grupo Editorial Tomo, S. A. de C. V.
Nicolás San Juan 1043
03100 México, D. F.

1a. edición, noviembre 2002.
2a. edición, marzo 2006.

© *The Shadow Over Innsmouth*
H. P. Lovecraft

© 1998, NEED, Del Barco Centenera 1193,
(1424) Buenos Aires, Argentina, Tel-Fax 824-0349
administración@neediciones.com.ar
Traducción y Prólogo: Mauro Cancini
Derechos cedidos de edición y traducción por:
Retórica Ediciones, S.R.L.

© 2006, Grupo Editorial Tomo, S.A. de C.V.
Nicolás San Juan 1043, Col. Del Valle
03100 México, D.F.
Tels. 5575-6615, 5575-8701 y 5575-0186
Fax. 5575-6695
http://www.grupotomo.com.mx
ISBN: 970-666-643-5
Miembro de la Cámara Nacional
de la Industria Editorial No. 2961

Diseño de Portada: Trilce Romero
Supervisor de producción: Leonardo Figueroa

Impreso en México - *Printed in Mexico*

Lovecraft y la hazaña de la soledad

Trabar relación con la literatura de H. P. Lovecraft, oriundo de Providence, Rhode Island, Estados Unidos, comprende un doble desafío, cuyo enfrentamiento necesita el ímpetu de los espíritus más valientes.

Sus textos transitan una zona de la literatura que desmaraña los atributos de la realidad para fundirlos en halos de patetismo y horror, creando la sospecha en el lector de estar frente a un mundo minado de terrores impredecibles, de noches que pueden convertirse en la boca monstruosa de un abismo.

Pero, los textos de Lovecraft presentan para todo amante del género una segunda grieta no siempre fácil de atravesar, que multiplica los avatares de miedo y que es la soledad escandalosa en la que se hunden sus héroes, un camino sin retorno que los va dejando desvalidos ante el frenesí abominable que el destino les depara.

Los personajes de Lovecraft, casi en el borde de la misantropía que lo caracterizaba a él mismo, viven en cada relato una odisea que los va despojando de todos los rasgos cotidianos, del contexto humano que les da emergencia, para ingresar lentamente en un túnel infinito, cada vez más solos.

La sombra sobre Innsmouth es el relato de un muchacho que buscando indagar los vestigios históricos de su país se topa con el misterio que es el estigma de un pueblo entero y allí es víctima de una terrible persecución, que lo obliga a emprender un terrible derrotero solitario por todas las calles y recovecos de esa urbe nefasta.

La sombra sobre Innsmouth nos presenta un narrador obsesionado por terribles visiones que finalmente lo llevarán a sumergirse en un abismo remoto de la tierra sin otra compañía que la de su linterna.

En ambos casos, como en toda la narrativa de Lovecraft, el meollo argumental gira en torno de los torbellinos mentales que se desatan en la psiquis de los personajes: atormentados, amedrentados, llenos de interrogantes sin respuesta. La literatura es entonces el lienzo donde se mezclan, se contraen y se perturban todos los colores nefastos de la mente, lugar donde confluyen y, quizás, se engendran las pesadillas y los arcanos que acechan a los hombres.

De la vida del artífice de estos textos no cabe decir demasiadas cosas: sólo algunos rasgos que pueden hallarse fácilmente esparcidos en los textos. Hemos dicho que nació en Providence y cabe agregar que murió en el mismo sitio. El lazo de su vida se extendió entre 1890 y 1937. Gustaba de las leyendas del paganismo clásico y de todo el mundo previo a los adelantos científicos que caracterizan al siglo XX. Siempre eligió el pasado como rincón preferido y era dramáticamente solitario.

A despecho de haber vivido recluido en sus fantasías personales y asido a los atavismos que amaba, logró generar un séquito que no sólo lo admiraba sino que continuó, por decirlo de algún modo, su obra. Muchos de sus argumentos que quedaron sin desarrollar fueron tomados más tarde por sus seguidores y amigos.

Hoy, Lovecraft ocupa un lugar indiscutible en el género de terror y genera en los lectores, como en los discípulos que lo conocieron en vida, una pasión inagotable.

Mauro Cancini

I

En la temporada invernal de 1927-1928 una singular pesquisa fue llevada a cabo por los agentes del Gobierno General en cierta dependencia del viejo puerto marítimo de Innsmouth, situado en Massachussetts. La opinión pública supo acerca del hecho de febrero, momento en el que se llevaron a cabo las persecuciones y arrestos, y más tarde, incendios y explosiones intencionales —perpetrados con las debidas precauciones— de una cuantiosa cantidad de viviendas en ruinas, putrefactas, aparentemente desiertas, que se alzaban a lo largo del valle abandonado del muelle. Este suceso no fue tenido en cuenta por las personas poco curiosas, quienes lo tomaron indudablemente como una instancia más de la prolongada lucha contra el alcohol.

Sin embargo, los más audaces se sintieron perplejos por el inusitado número de detenidos, el inusual despliegue de fuerzas del orden que se utilizó para ello y el hermetismo que guardaron las autoridades respecto de los prisioneros. No se conoció proceso judicial, ni tampoco se llegó a saber cuál era el origen de la acusación; tampoco fue visto más tarde ninguno de los detenidos en las prisiones comunes del país. Hubo declaraciones acerca de patologías y campos de concentración, y luego se habló de escapes en varias cárceles navales y militares, pero nada concreto se dijo. La propia ciudad de Innsmouth había quedado prácticamente despoblada. Únicamente ahora empiezan a manifestarse en ella algunos indicios de una lenta resurrección.

Las protestas obsequiadas por varias organizaciones liberales fueron reprimidas luego de largas deliberaciones secretas; delegados de estas organizaciones viajaron a ciertas cárceles y campos y, luego de ello, estas sociedades perdieron súbitamente todo su interés por el tema. Los periodistas fueron obstinados, pero finalmente terminaron colaborando con el Gobierno. Únicamente un diario —sensacionalista y por ello con mala reputación— se refirió a un submarino capaz de hundirse a profundidades extremas que lanzó torpedos en los abismos del mar, detrás del Arrecife del Diablo. Este dato, que había sido escuchado al azar en un bar de marineros, resultaba algo fantástico, porque el Arrecife, que era negro y plano, se encuentra aproximadamente a una milla y media del puerto de Innsmouth.

Los campesinos lugareños y los vecinos de los pueblos aledaños hablaron mucho acerca del tema, pero estuvieron excesivamente discretos con la gente de afuera. Hacía casi cincuenta años que hablaban entre dientes de la casi deshabitada y agonizante ciudad de Innsmouth y lo que recientemente había ocurrido no era más ominoso ni terrible que lo que se comentaba desde tiempo atrás en voz baja. Habían sucedido cosas que los indujeron a ser discretos, de modo tal que era absurdo intentar sacarles alguna información. Por otro lado, era poco lo que sabían realmente, porque la existencia de unos saladares extensos y deshabitados impedían bastante el ingreso a Innsmouth por tierra firme, y los pobladores de los pueblos aledaños se mantenían alejados.

Sin embargo, voy a romper la ley del silencio impuesta en lo relativo a este tema. Estoy tan convencido de que los resultados obtenidos son tan categóricos que mis referencias sobre lo que encontraron los temerosos agentes que llegaron a Innsmouth no pueden provocar ningún daño, excepto cierta cuota de repugnancia. Además, esta cuestión podría explicarse desde diversas perspectivas. Y tampoco sé con certeza hasta qué punto me ha sido comunicada toda la verdad, pero tengo varias razones para no querer sondear más profundamente, porque el caso y el recuerdo de lo sucedido me llevó a tomar severas determinaciones.

Fui yo la persona que en las primeras horas del 16 de julio de 1927 huyó de Innsmouth con frenesí y que imploró lleno de pánico al Gobierno que iniciase una pesquisa y obrase en función de ella, lo que desencadenó lo que antes he relatado. Yo había decidido firmemente permanecer en silencio mientras el tema estuviera presente en la memoria de todos, pero ahora que el tiempo ha transcurrido y la gente ha perdido todo su interés, tengo un irrefrenable deseo de contar, entre dientes, las pocas y espantosas horas que estuve en aquel puerto de tan ominosa calaña, sobre el que se tiende una sombra sacrílega y mortífera. El propio hecho de relatarlo me permitirá recuperar la confianza en mis aptitudes, y cerciorarme de que no fui simplemente la primera víctima de un mal sueño de muchos. También será útil para enfrentar cierto paso terrible que todavía debo dar.

Yo nunca había escuchado hablar de Innsmouth hasta la víspera del día en que lo vi por vez primera y —hasta hoy— última. Estaba festejando mi mayoría de edad dando la vuelta a Nueva Inglaterra —haciendo turismo, visitando antigüedades, saciando mi interés genealógico— y había proyectado ir en línea recta desde el viejo pueblo de Newburyport a Arkham, de donde era oriunda la familia de mi padre. Como no tenía dinero ni automóvil, viajaba en tren. Y fue en la boletería de la estación, mientras dudaba ante el costoso pasaje del tren, cuando por primera vez oí hablar de Innsmouth. El empleado, que era un hombre fornido, de rasgos audaces y un acento extraño a la región, con simpatía se hizo cargo de mis esfuerzos para ahorrar y me propuso una solución que hasta entonces nadie había sugerido.

—Creo que podría tomar el viejo autobús —dijo luego con cierta indecisión—, aunque nadie por aquí suele tomarlo. Atraviesa Innsmouth… Tal vez haya oído hablar de ese pueblo… La gente lo desprecia. El çonductor es de ahí, se llama Joe Sargent, y jamás transporta viajeros de aquí ni de Arkham. No entiendo como sobrevive esa empresa. El precio del pasaje debe ser bastante barato, pero nunca transporta más de dos o tres personas... y todas de Innsmouth. Parte de la plaza, frente a la droguería Hammond, a las diez de la mañana y a las siete de la tarde, a menos que hayan cambiado el horario recientemente. Es como una cafetera rusa... Nunca estuve encima de esa chatarra.

Esta fue mi primera referencia acerca del pueblo de Innsmouth. Cualquier noticia de un pueblo que no proviniera de los usuales mapas o no estuviera registrado en las guías actuales de viajes me habría interesado, por el modo abstruso que tuvo el empleado para mencionarlo terminó por encender en mi ánimo una viva curiosidad. Supuse que un pueblo que suscitara la aberración entre sus vecinos debía ser singular y digno de la atención turística. Dado que estaba camino de Arkham, me detendría en él. De modo tal que le pedí al empleado que me diera más información. Dijo sigilosamente, aparentando saber más de lo que confesaba:

—¿Innsmouth? Ciertamente es un pueblo bastante peculiar. Está situado en la desembocadura del Manuxet. Antes de la guerra de 1812, era casi una ciudad, un puerto de cierta jerarquía, pero se fue arruinando durante los últimos cien años aproximadamente. Ya ni el ferrocarril pasa por allí... Hace años que se suspendió la línea que lo unía con Rowley.

"Ciertamente deben ser la mayoría las casas deshabitadas que las que poseen los moradores y allí no hay comercio ni industria, únicamente la pesca y las nasas. Para los negocios, la gente elige venir aquí o a Arkham o a Ipswich. Hace muchos años había algunas fábricas, ahora únicamente queda una refinería de oro que tiene largos periodos de inactividad.

"Sin embargo, esa refinería fue un buen negocio en otra época, y su dueño, el viejo Marsh, debe ser más rico que Creso. Es un tipo maniático y extraño que nunca sale de su casa para nada. Se dice que sufre una enfermedad de la piel o que tiene una malformación y por eso no quiere dejarse ver. Es nieto del capitán Obed Marsh, fundador de la refinería. Parece ser que su madre era extranjera, de los Mares del Sur, Ipswich, de modo que fue escandalosa esta unión hace medio siglo. La gente de aquí desprecia a los oriundos de Innsmouth, y si alguien lleva en su sangre a Innsmouth, trata de no comentarlo. Yo personalmente creo que los hijos y los nietos de Marsh tienen un aspecto normal. Una vez que pasaron por aquí, me advirtieron que eran ellos... Ahora que estoy haciendo la cuenta, los hijos mayores hace bastante que no vienen. Al viejo no lo he visto nunca.

"¿Cuál es la razón de que las cosas vayan mal en Innsmouth? No debe hacer caso de lo que se dice por ahí. Les cuesta contarlo pero una vez que comienzan a hablar ya nadie los detiene. El último siglo lo han pasado murmurando acerca de lo que sucede en Innsmouth, estoy seguro de que principalmente están atemorizados. Ciertas historias que circulan son cómicas. Dicen, por ejemplo, que el viejo Marsh comerciaba con el mismo diablo y que extraía duendes del averno para traerlos a vivir a Innsmouth, y que celebraban un rito demoníaco y sacrificios escalofriantes, en la cercanía de los muelles, y que esto fue descubierto alrededor del año 1845… Pero yo soy oriundo de Panton, Vermont, y no digiero esas habladurías.

"Debería usted oír lo que dicen los viejos sobre el Arrecife de la costa… Lo llaman el Arrecife del Diablo. Muchas veces, sobresale por sobre las olas, y si no, apenas se deja ver en la superficie del agua, pero ni siquiera es una isla. Allí, en el Arrecife, se pueden ver, según dicen, ejércitos de demonios, dispersos o entrando y saliendo de unas cuevas que hay en la parte superior de la roca. Se trata de un peñasco desproporcionado y abrupto, que se encuentra a más de una milla de la costa. En los últimos tiempos, los marineros se desviaban bastante para evitarlo.

"Estoy hablando de los marineros extranjeros a Innsmouth, por supuesto. Una de las acusaciones que se hacían contra el capitán Marsh era que algunas veces por la noche, aparentemente, atracaba allí, si la marea le era propicia. Es posible que atracara, porque se trata de un peñasco interesante, y hasta es probable que fuera en busca de algún oculto tesoro pirata; pero lo que afirmaban era que ahí comerciaba con los demonios. Yo creo que realmente fue el capitán el que hizo verdaderamente célebre al Arrecife por su halo siniestro.

"Esto ocurría antes de la peste de 1846, que acabó con la población de Innsmouth. Nunca se supo exactamente qué había sucedido, pero probablemente se tratara de una patología exótica, importada de la China o de otro sitio, a través del mar. Debió ser algo ciertamente nefasto; hubo grandes desajustes por esta causa y ocurrieron hechos horrorosos que no deben haber traspasado las fronteras del pueblo. Lo cierto es que a partir de eso se arruinó para siempre. No volvió a ocurrir otra mortandad, pero hoy sólo viven allí trescientas o cuatrocientas personas.

"En el fondo, lo único que hay en la actitud de la gente es cierto prejuicio racial... y no me parece desacertado. Siento desprecio por la gente de Innsmouth y no quisiera por nada ir a ese lugar. Sospecho que usted sabrá —por su acento distinguido que es occidental— la gran cantidad de barcos nuestros, de Nueva Inglaterra, que suelen acercarse a los puertos más ignotos de África, de Asia, de los Mares del Sur y de cualquier sitio y de la gente rara que traen a nuestras tierras. Habrá escuchado hablar del marino de Salem que volvió después de haber contraído nupcias con una china y también debe saber que todavía queda un grupo de isleños provenientes de Fidji, cerca de Cape Cod.

"Algo de esto debe pasar con la gente de Innsmouth. El sitio siempre estuvo apartado del resto del pueblo por marismas y riachos y, aunque no podemos garantizar lo que sucedía verdaderamente, parece claro que el viejo capitán Marsh debió traerse a su casa a ciertos tipos extraños, cuando tenía sus tres barcos en funcionamiento, allá por los años veinte o treinta. Es cierto que la gente de Innsmouth tiene unas facciones extrañas; en la actualidad... resulta difícil descubrirlo, es algo que electriza la piel. Usted lo podrá ver en Sargent, si toma el autobús. Algunos de ellos tienen la cabeza estrecha y extravagante, con la nariz chata y aplastada; también poseen ojos fijos que parecen nunca parpadear, y una piel que no es normal como la de todo el mundo, si no rugosa y llena de costras, y en los costados del cuello la tienen replegada. Por otro lado, padecen de calvicie desde muy jóvenes. El peor aspecto lo tienen los viejos. Aunque, en realidad, creo que no he visto ninguno de esos tipos con aspecto verdaderamente viejo. ¡Sospecho que deben morirse cuando se ven reflejados en un espejo! Los animales los temen... Tenían muchas dificultades con los caballos, antes de que surgiera el automóvil.

"Ninguno de aquí, ni de Arkham ni de Ipswich quiere tratarse con ellos. Además se conducen en forma distante cuando vienen al pueblo o alguno intenta pescar en sus calderos. Lo extraño es el tamaño de los pescados que sacan de las aguas del puerto, si no hay otra cosa cerca de allí... ¡Pero atrévase usted a pescar en ese sitio y verá lo que tardan en echarlo! Antes venían en tren... Cuando la empresa clausuró el ramal, caminaban hasta tomarlo en Rowley... Ahora viajan en autobús.

"Sí, existe un hotel en Innsmouth, se llama Gilman House, pero creo que no es de gran calidad. Yo le diría que no se quedara allí. Lo mejor es que pernocte aquí. Mañana toma el autobús de las diez, después puede salir de allí a las ocho de la noche en el autobús que va a Arkham. Hace aproximadamente dos años un inspector de Hacienda se hospedó en el Gilman y recolectó una retahíla de experiencias desagradables. Parece ser que muchas personas extrañas ocupan el hotel, porque el hombre no dejó de oír voces que eran dignas de pavor, en las otras habitaciones. Él afirmaba que hablaban en un idioma extranjero, pero que la peor voz era una que se escuchaba cada tanto. Le parecía tan ajena a la humanidad —como un chapoteo, decía— que no tuvo valor de sacarse la ropa para meterse en la cama. En conclusión, pasó la noche en una terrible vigilia y apagó la luz con los primeros rayos del alba. Las conversaciones habían durado toda la noche.

"Lo que más impresionó a este hombre —Casey era su nombre— fue el modo en que lo observaba la gente de Innsmouth; parecían agentes espiándolo. La refinería de Marsh, también le pareció muy rara… Es una antigua fábrica situada en la desembocadura del Manuxet. Lo que refirió concordaba con lo que yo ya sabía. Los libros estaban mal llevados, no había ninguna cuenta en orden y el negocio era incomprensible. Por otro lado, siempre había existido un misterio sobre el modo en que los Marsh obtenían el oro para refinarlo. Nunca se evidenció que hicieran grandes compras de oro, pero hasta hace pocos años enviaban por barco grandes cantidades de lingotes.

"Era frecuente oír hablar acerca de ciertas joyas extrañas que los marinos y los obreros de la refinería vendían secretamente, o que lucían las mujeres de la familia Marsh. Según comentarios el capitán Obed obtenía el personal de su refinería en puertos tropicales; al parecer sus barcos partían cargados de baratijas y piedrecillas, como para entablar vínculos con los nativos. Otros conjeturaban, y aún lo sostienen, que había hallado un antiguo escondite de tesoros piratas en el Arrecife del Diablo. Lo curioso, sin embargo, es que el capitán ha muerto hace sesenta años y desde la Guerra Civil no ha partido del puerto de Innsmouth ningún barco de gran calado. Y a despecho de esto, me han contado que los Marsh continúan comprando baratijas para los nativos, especialmente rocalla y chucherías. Tal vez a la gente de Innsmouth le guste ornamentarse con esas cosas… Dios sabe perfectamente que han estado casi en el mismo nivel que los caníbales de los Mares del Sur y los nativos de Guinea.

"La peste de 1846 se llevó lo mejor del pueblo, seguramente. Siempre los que provienen de allí son personas sospechosas; los Marsh y el resto de los adinerados del lugar también lo son. Tal como le he dicho, no serán más de cuatrocientos en todo el pueblo, a pesar de su gran extensión. Son 'blancos andrajosos', según se dice en el Sur, es decir, personas ariscas llenas de dobleces, secretos y enigmas. Obtienen muchísimos pescados y mariscos y los exportan en camiones. Realmente es sorprendente la cantidad de toneladas de pescado que obtienen de ese pequeño pedazo de costa.

"Nadie ha sido capaz de saber a qué se dedican en la zona urbanizada. Una vez tras otra, las escuelas oficiales del Estado y las oficinas del censo de pobladores, han chocado contra ellos. Es inequívoco que las visitas de inspección no sean bien recibidas en Innsmouth. Particularmente, ya he sabido de más de un empleado de negocios oficiales que ha desaparecido allí. También hubo rumores de que uno enloqueció y ahora se encuentra en un hospicio. Indudablemente, recibió un terrible susto el infeliz.

"Por todo lo que he dicho, yo en su lugar, no pernoctaría allí. Nunca estuve en ese sitio ni tengo deseos de ir, pero supongo que visitarlo con la luz del día no supone ningún riesgo... De todos modos, la gente de aquí le diría que no fuera. Pero Innsmouth es un sitio interesante, si esta buscando antigüedades y haciendo turismo".

Luego de todas las referencias que me dio aquel hombre, pasé toda la tarde en la Biblioteca Pública de Newburyport, investigando datos sobre Innsmouth. Más tarde inquirí a las personas de los comercios, de los restaurantes, incluso a los bomberos, pero me di cuenta de que era más dificultoso obtener algo de los lugareños de lo que me había anunciado el empleado de la estación. Además, no tenía tiempo para torcer esa desconfianza instintiva. Supuse que me miraban con recelo por la razón de que era sospechosa toda persona que se interesara demasiado por Innsmouth. Incluso en la Asociación Cristiana de Jóvenes, donde me estaba alojando, el párroco trato de que desistiera, retratándome aquel sitio como un lugar decadente y perverso. Esa misma actitud también la había percibido en muchas personas de la biblioteca. Ante las personas cultas se evidenciaba la idea de que Innsmouth era simplemente un ejemplo externo de la decadencia cívica.

Los libros de historia sobre el Condado de Essex que me proporcionaron en la biblioteca me dieron poca información: el pueblo se había fundado en 1643, antes de la Revolución era famoso por sus astilleros, y tuvo un apogeo naval a principios del siglo XIX; luego se transformó en un centro industrial de segundo orden, en virtud de la utilización de las aguas del Manuxet como fuente de energía. Apenas solapadamente referían la peste y la confusión de 1846, como si se tratase de un episodio engorroso en el prestigio del condado.

Asimismo, se informaba bien poco acerca de su posterior decrepitud, a pesar del último capítulo que era harto elocuente. Luego de la Guerra Civil, el desarrollo industrial del lugar se redujo al movimiento de la *Marsh Refining Company* y el comercio de lingotes sólo era una pequeña porción de lo que habían sido sus transacciones, además de la sempiterna pesca. Sin embargo, la pesca cada vez era menor valuada, en tanto se reducía su precio de venta por ingerencia de los competidores, aunque nunca faltó pescado en los alrededores del puerto de Innsmouth. Era inusual que los extranjeros decidieran establecerse allí. Se contaba que algunos polacos y portugueses lo habían intentado, pero habían sido expulsados de un modo violento.

Una pequeña nota referida a ciertas joyas vinculadas con la población de Innsmouth constituía el dato más elocuente. Parecía evidenciarse que el hecho había llamado la atención de toda la región, ya que en el libro se nombraban ciertas piezas que se encontraban en el Museo de la Universidad de Miskatonic, de Arkham y en la sala de exposiciones de la Sociedad de Estudios Históricos de Newburyport. El retrato parcial de esas joyas era descolorido y escaso, pero me impresionó de un modo difícil de definir. Todo el asunto me parecía tan extravagante y seductor que no podía apartarlo de mi cabeza, y a pesar de que era una hora inapropiada, resolví ver la pieza que estaba expuesta en aquella localidad. Al parecer, era un objeto inmenso, de proporciones anómalas, y similar a una tiara.

El bibliotecario me mandó con una nota de presentación para el conservador de la sociedad. Este conservador resultó ser una mujer, una tal Anna Tilton, soltera, que vivía cerca de allí. La anciana mujer se mostró excesivamente cortés y me condujo, luego de una breve explicación. Aquel museo de la sociedad era ciertamente memorable, pero mis sentidos estaban tan alterados que sólo mis ojos podían observar el extraño objeto que resplandecía bajo la luz de un foco en la vitrina del rincón.

Lo que me hizo ensanchar literalmente la apertura de mi boca ante el extravagante fulgor de aquella joya que descansaba sobre un almohadón de terciopelo rojo no fue precisamente mi percepción artística. Hoy incluso me siento incapaz de darle una descripción precisa, aunque evidentemente era una tiara, como decía la nota que había leído. El frente era muy elevado y su perímetro ancho e irregular, como si hubiera sido pensada para una cabeza inexplicablemente elíptica. Se podría decir que era de oro, pero tenía cierto enigmático resplandor que sugería la aleación con otro metal de la misma nobleza pero difícilmente discernible. Hubiera permanecido horas analizando los detalles de aquellos ornamentos asombrosos y misteriosos que habían sido cincelados con una sorprendente destreza —algunos eran sencillamente geométricos y otros tenían simples representaciones marinas.

Cuanto más miraba la joya, más extasiado me sentía, en el éxtasis encontraba algo perturbador e incomprensible. En primera instancia, pensé que lo que me provocaba perturbación era la extraña textura artística. Hasta el momento, todos los objetos artísticos que había visto en mi vida pertenecían a un estilo o tradición autóctona o étnica, o bien a alguna tendencia moderna que postulaba la ruptura de todas las tradiciones. Sin embargo, aquella tiara no se encontraba en ninguno de estos casos. Mostraba a las claras una técnica precisa, madura y perfeccionada, pero diametralmente diferente respecto a cualquier otra, oriental u occidental, antigua o moderna. Nunca había visto nada igual. Parecía ser de otra galaxia aquella exquisita obra de arte.

Sin embargo, poco después caí en la cuenta de que lo que me turbaba debía tener otra razón, tal vez de igual magnitud, y ella era que aquellos asombrosos diseños ornamentales sugerían extrañas fórmulas matemáticas y ocultos secretos enterrados en insospechados abismos temporales y espaciales. El paisaje natural, que se representaba en los bordes, era íntegramente acuático y parecía aterrador. Se veían ciertas bestias monstruosas y ficcionales, raras y perversas, seres mitad peces y mitad batracios, que se instalaron de un modo tan agudo en mi cabeza que llegaron a hacer emerger dentro de mí una suerte de falsos recuerdos. Parecía que despertaba en mí una indefinida memoria de ellos, lejana y ominosa, como partiendo de las últimas células donde dormitan nuestras estampas atávicas más estremecedoras. Creía que cada detalle de aquellos peces-ranas horrorosos excedía el último elemento de una perversión ajena a lo humano y totalmente ignota.

La breve y ruin historia de la tiara contrastaba notablemente con su deslumbrante aspecto. En 1873, según me relató Miss Tilton, un hombre ebrio de Innsmouth la había empeñado por un valor irrisorio en un comercio de State Street, antes de morir en una trifulca. La Sociedad de Estudios Históricos la había comprado directamente de manos del comerciante y desde el comienzo la colocó en uno de los sitios más singulares del salón con una etiqueta que decía que probablemente procedía de la India oriental o de Indochina, aunque ambas conjeturas eran bastante inciertas. Según Miss Tilton, que analizaba todas las hipótesis posibles acerca del origen y la existencia de la tiara en Nueva Inglaterra, lo más confiable era suponer que había formado parte de algún tesoro de piratas hallado por el viejo capitán Obed Marsh. Sustentaba esta hipótesis el hecho de que la familia Marsh, luego de conocer dónde se encontraba la joya, había ofrecido cuantiosas sumas de dinero para obtenerla; este ofrecimiento persistía a pesar de la dura negativa de la sociedad respecto a su venta.

En el camino hacia la puerta, la cortés anciana me dijo que su hipótesis acerca del origen pirata de la fortuna de los Marsh era ampliamente aceptada por todo el ambiente intelectual de la región. Dijo que, aunque nunca había pisado Innsmouth, sentía desprecio por sus habitantes, por su decadencia cultural y moral. También afirmó que las habladurías acerca de que en Innsmouth se practicaba cierta religión demoníaca, estaba fundamentada en que allí se hubieran multiplicado los feligreses de ciertos rituales que habían terminado eliminando todas las iglesias convencionales.

Estos ritos eran llevados a cabo por la denominada "Orden Esotérica de Dagón", y era, indudablemente, una religión pagana degenerada, de origen oriental, que había sido traída hacia allí en un momento de pesca exigua. Parecía razonable que los hombres vulgares la hubieran aceptado, ya que, a partir de su advenimiento, la pesca había vuelto a multiplicarse abundantemente. La "Orden" alcanzó pronto la supremacía en el pueblo, reemplazando completamente a la francmasonería y ocupando el lugar de la vieja logia masónica de New Church Green.

Desde la perspectiva de la amable Miss Tilton, todas éstas eran causas suficientes para escapar de la miserable y demoníaca ciudad de Innsmouth. En mí, contrariamente, despertó un incontenible interés por conocerla. La curiosidad arquitectónica e histórica que había sentido en un principio se agigantaba con el interés antropológico, de modo tal que sólo pude dormirme cuando empezaba a amanecer en mi pequeña habitación de la Asociación Cristiana de Jóvenes.

II

Durante la siguiente mañana, poco antes de la diez, tomé mi valija y me dirigí a la Droguería Hammond, en la Plaza del Mercado, para esperar el autobús que me llevaría a Innsmouth. Observé, cuando estaba llegando, que los transeúntes se apartaban de la parada. No había exagerado el empleado de la estación al describir el asco que los lugareños sentían respecto a Innsmouth. Poco después, apareció retorciéndose por State Street, un coche de línea muy viejo, pintado de un verde desagradable. Giró y frenó frente a mí. Inmediatamente comprendí que era el que yo estaba esperando. En un letrero, prácticamente ilegible, se podía adivinar: Arkham-Innsmouth-Newburyport.

En el autobús sólo viajaban tres pasajeros, bastante jóvenes, morenos ridículamente ataviados y con unas facciones ariscas. Cuando el coche se detuvo, los tres bajaron y torpe y desdeñosamente se alejaron en silencio por State Street, casi escondiéndose. El conductor también bajó y lo vi ingresar en la droguería.

"Éste debe ser Joe Sargent, tal como me dijo el empleado de la estación", me dije y antes de retener ningún detalle, me sentí poseído por una repugnancia espontánea, irrefutable e incomprensible. Súbitamente, me pareció natural que los lugareños evitasen subir a ese autobús y visitar el pueblo donde habitaba esa calaña.

Cuando el hombre salió de la droguería, traté de concentrarme en él para averiguar cual había sido el origen de semejante impresión. Era delgado, de hombros caídos y de una estatura algo menos de un metro setenta. Tenía un traje azul gastado y una gorra de golf desconocida. Parecía tener unos treinta y cinco años, a pesar de dos arrugas al costado de su cuello que lo aventajaban, si no se veía su rostro impertérrito y descolorido. Su cabeza era angosta y tenía unos profundos ojos azules que no pestañeaban; su mentón y su frente estaban hundidas y tenía unas orejas precarias y deformes. Sus labios eran enormes, abultados; sus mejillas mostraban costras y anchos poros abiertos, dando la impresión de carecer totalmente de barba, a pesar de algunos aislados pelos amarillos, que figuraban, junto con los pliegues de la piel, zonas calvas producidas por alguna enfermedad. Tenía manos inmensas, transitadas por una multitud de venas de un sorprendente gris azulado; los dedos eran asombrosamente cortos e inarmónicos, como torcidos hacia adentro de sus horribles palmas. Mientras caminaba hacia el autobús, pude ver su forma sinuosa de andar. Sus pies también eran gigantes, y en tanto los miraba, más me asombraba que pudiese encontrar zapatos a su medida.

La suciedad que cargaba lo hacía más repulsivo todavía. Por el olor que emanaba de toda su existencia, era evidente que merodeaba o trabajaba en los muelles pesqueros. Era difícil conjeturar qué mixtura de sangres habría dentro de sus venas. Sus facciones no parecían asiáticas, polinesias ni africanas, pero indudablemente eran extranjeras. No obstante, más que un signo racial, aquellas facciones parecían una degeneración biológica.

De pronto, me sentí perplejo al comprobar que no había otro pasajero en el autobús. Me desagradó la idea de viajar solo con un conductor de aquel aspecto. Pero la hora de partida estaba próxima y debí decidirme. Subí, le di un billete de un dólar y le dije sucintamente: "Innsmouth". Durante un instante me miró sorprendido, mientras me daba el cambio de cuarenta centavos, pero no pronunció palabra. Me ubiqué detrás de él, junto a la ventanilla, para poder ver la costa durante el viaje.

Finalmente, aquella chatarra arrancó luego de un largo estremecimiento y rápidamente se alejó de los antiguos edificios de State Street, sacudiéndose violentamente y largando un humo denso por el caño de escape. Me pareció que la gente que transitaba por las veredas evitaba mirar el autobús…, o, por lo menos fingía no mirarlo. Después giramos a la izquierda por High Street y el camino fue menos tortuoso. Pasamos por delante de ciertos portentosos edificios de la primera época de la República y después nos fuimos alejando de algunas casas de campo coloniales, más antiguas todavía. Finalmente, luego de cruzar Lower Green y Parker River, salimos a una zona costera larga y uniforme.

Era un día caluroso y solariego. A medida que avanzábamos, la visión de la arena, los juncales, la maleza deteriorada, era cada vez más deprimente. A nuestros costados se extendía el mar azul y la costa arenosa de Plum Island. Luego de apartarnos de la ruta central que iba a Rowley e Ipswich, fuimos por un camino bordeando el litoral. No había viviendas a la vista y de acuerdo con el estado del firme de la carretera, el tráfico por aquella zona debía ser ínfimo. Los postes negros del teléfono sostenían únicamente dos cables. Cada tanto, atravesábamos unos desvencijados puentes de madera que se tendían sobre algunas pequeñas rías que, cuando subía la marea, participaban en el aislamiento de la zona.

A veces, se veían, emergiendo de la arena, vestigios ennegrecidos de árboles talados, y cimientos de vallas derribadas. Recordé que, según uno de los libros de historia que había consultado, aquella había sido una población fértil y densamente habitada. El cambio abrupto se había dado a partir de la peste ocurrida en 1846, pero la gente creía que estaba vinculado con ciertas fuerzas secretas demoníacas. Ciertamente, el mal tenía que ver con la tala desmesurada de árboles próximos a la playa, que había desprotegido al suelo frente a la arena, que ahora invadía todas las cosas.

Por último, nos alejamos de Plum Island y surgió a nuestra izquierda la inconmensurable dimensión del Océano Atlántico. El camino angosto fue subiendo por una ladera muy pronunciada.

Mientras veía la cumbre solitaria que se erguía frente a nosotros, donde el camino, plagado de surcos, se encontraba con el cielo, sentí un extraño sentimiento. Me parecía que el autobús iba a continuar su ascensión dejando la tierra para mezclarse con un arcano remoto en un imperceptible más allá. La brisa del mar nos alcanzaba llena de aromas que parecían anunciar algo. Cada vez veía más desagradable la espalda torcida e inflexible del conductor y su grotesca cabeza. En la parte trasera, su cabeza estaba tan desprovista de pelo como su cara. Apenas le crecían unas escasas hebras amarillas en su piel arrugada y gris.

Llegamos a la cumbre. Desde allí podía verse todo el valle donde el Manuxet se estiraba para desembocar en el mar, junto a una extensa hilera de acantilados que termina en Kingston Head y se desvía después hacia Cape Ann. En el lejano y brumoso horizonte, se podía vislumbrar el promontorio donde se erguía la antigua mansión cuya legendaria fama me había sido comunicada. Sin embargo, en ese momento toda mi atención se centró en el paisaje inminente que se presentaba ante mí: habíamos arribado al inquietante pueblo de Innsmouth.

Se trataba de un centro abultado, con casas muy juntas, pero donde no podía leerse ninguna señal de vida. Apenas si podía verse un hilo de humo de todo

el entramado de las chimeneas. Tres campanarios al-
tísimos se destacaban firmes y gafos sobre el azul del
mar. El chapitel de uno de ellos se había derrumbado.
Los dos restantes ostentaban los obscuros agujeros
donde antes habían estado sus relojes esféricos. La gran
extensión de techos inclinados y desvanes puntiagu-
dos presentaban un cuadro patético. Mientras íbamos
bajando por la ruta, vi que muchos techos estaban
totalmente hundidos. Había unos caserones estilo
georgiano, con techos de cuatro aguas, cúpulas y ga-
lerías de cristal. La mayoría de ellas estaban alejadas
del mar y una o dos se mantenían en buen estado. Entre
ellas, se veía la raya herrumbrosa del ferrocarril
abandonado, manoseada por la hierba, escoltada por
los postes telegráficos, hoy carentes de cables, y los
rastros imprecisos de los antiguos caminos de carro
que iban a Rowley y a Ipswich.

La desolación y la decadencia se evidenciaba aún
más en el barrio marino, al lado de los muelles. No
obstante, en la región medular del barrio se erguía la
torre blanca de un edificio de ladrillo, muy bien con-
servado, que parecía una pequeña fábrica. El puerto
inundado por bancos de arena, estaba resguardado por
un viejo espigón de piedra, donde se veían las diminu-
tas figuras de unos pescadores sentados. En el extremo
del espigón se distinguían los cimientos esféricos de
un faro desmoronado. Una lengua de arena se había
formado en el puerto y en ella se alzaban algunas
chozas míseras, algunos botes amarrados y algunas nasas dispersas. El único lugar donde parecía haber

profundidad era donde el río, luego de pasar el edificio de la torre blanca, viraba hacia el sur y depositaba sus aguas en el océano, del otro lado del espigón. Los mulles de embarque estaban completamente podridos. Los más devastados eran los del sur. Y lejos, mar adentro, pude vislumbrar, a pesar de la marea alta, una línea negra prolongada que apenas emergía del mar y que inmediatamente tuvo sobre mí un influjo especial y destructivo. Indudablemente era el Arrecife del Diablo. Mientras lo observaba, tuve la sensación por un instante de que me estaban haciendo señas desde ese sitio, lo que me produjo un terrible malestar.

No nos cruzamos con nadie en el camino. Comenzamos a pasar por delante de una retahíla de granjas deshabitadas y arrasadas. Luego vimos una minucia de casas habitadas, con ventanas cubiertas de harapos. El pescado estropeado y las conchas se juntaban en los estoperoles. Se veía, dentro de una atmósfera hedionda de pescado, a algunas personas trabajando con aire distante en sus jardines desiertos y extrayendo almejas de la orilla. Algunos niños mugrientos y de rostro simiesco jugaban en los portales atiborrados de hierbas. Algo más perturbador que los edificios luctuosos podía verse en esa gente. Casi todos tenían idénticos rasgos faciales y gestos, lo que generaba una repulsión espontánea e ineludible. Me pareció, por un momento, que esos rasgos me traían el recuerdo de algún cuadro visto con antelación, con un contexto singularmente ominoso. Sin embargo, ese casi recuerdo fue muy efímero.

Cuando el autobús llegó a la planicie donde se extendía el pueblo empecé a oír el rumor monótono de una vertiente en medio de un silencio memorable. Las viviendas, destartaladas y torcidas, fueron achicando sus distancias intermedias, juntándose unas con otras, alineándose a los costados de la ruta. La ruta se convirtió en calle. En ciertas zonas podía verse el empedrado de adoquines y vestigios de las veredas de baldosa que habían existido alguna vez. Todas las casas parecían desiertas. De tanto en tanto, entre las paredes maestras se abría el vacío de un edificio destruido. En todos lados prevalecía un hedor asfixiante intolerable a causa del pescado.

Pronto aparecieron cruces y bocacalles. Las calles que salían hacia la izquierda, hacia la costa, no tenían empedrado, y estaban atiborradas de basuras. Todavía no había visto a nadie en el pueblo, pero finalmente vislumbré ciertos signos vitales: cortinas en ciertas ventanas, un automóvil descascarado estacionado frente al cordón... El empedrado y las veredas se hacían cada vez más consistentes, y a pesar de que casi todas las casas eran bastante antiguas —construcciones decimonónicas de madera y ladrillo— parecían estar en buenas condiciones. Extasiado con todo lo que estaba viendo, desestimé el hedor nauseabundo y la sensación desoladora que había sentido en un comienzo.

Sin embargo, no llegaría a mi destino sin tener otra impresión terriblemente irritante. El autobús llegó a una plaza escoltada por dos templos, en cuyo centro había una circunferencia de pasto pelado y seco. En la calle que se extendía a la derecha había un edificio con dos columnas. El frente antiguamente pintado de blanco, hoy se veía gris y desvencijado. En la fachada había letras doradas y negras tan descoloridas que me costó mucho dilucidar lo que estaba inscrito: "Orden Esotérica de Dagón". Estaba entonces frente a la antigua logia masónica, que hoy rendía culto a algo aberrante. Mientras intentaba descifrar esta inscripción, oí el sordo plañido de una campana quebrada que vino a distraer mi atención. Viré repentinamente y observé el otro extremo de la plaza.

El sonido de la campana provenía de una iglesia de piedra, pseudogótica, que parecía ser mucho más antigua que los restantes edificios de Innsmouth. A un costado se erguía una torre cuadrada, achaparrada, aunque su cripta, que tenía las ventanas cerradas, era anómalamente alta. Aunque el reloj de la torre no tenía manecillas, supe que aquellos sordos sonidos daban las once. Súbitamente, todos mis pensamientos se desvanecieron al aparecer una silueta tan ominosa, que me sacudió aún sin haberla visto bien. La puerta de la cripta estaba abierta y se formaba un rectángulo en la penumbra. Por ese rectángulo vi cruzar fugazmente algo que ocasionó en mí una sensación pesadillesca.

Se trataba de una entidad viva, la primera, además del conductor, que estaba viendo en el perímetro urbano. Tal vez no hubiera sentido nada aterrador, si mis nervios hubieran estado en paz, ya que inmediatamente después me di cuenta que se trataba solamente de un sacerdote. En verdad tenía una vestimenta muy extraña, que quizá había sido incorporada cuando la Orden de Dagón había cambiado el ceremonial de las iglesias del lugar. Sospecho que lo primero que me impresionó, causándome terror, fue la tiara elevada que tenía. Era una copia exacta de la que Miss Tilton me había mostrado la noche anterior. Indudablemente fue esa correspondencia la que desbandó los límites de mi imaginación y me hizo vislumbrar algo maléfico en el rostro entrevisto y en la vestimenta de aquel ser que atravesó con paso pesado la puerta. Inmediatamente después consideré que no existía ninguna razón para esa nefasta sensación que parecía provenir de un pseudorecuerdo macabro y apenas perceptible. ¿Acaso no era lógico que el enigmático culto del lugar hubiese hecho adoptar a sus sacerdotes ciertos ornamentos naturales a la comunidad… por corresponderse con un tesoro encontrado, por ejemplo?

Algunos pocos jóvenes de aspecto repulsivo pudieron verse en las veredas. Eran individuos que andaban solos o en pequeños grupos de dos o tres. En la planta baja de todos los edificios había negocios diminutos con letreros sucios y descascarados. En la calle también vi uno o dos camiones estacionados. El estridor de la vertiente se fue intensificando, hasta que surgió ante nosotros la honda garganta del río, sobre la que se desplegaba un amplio puente de hierro que terminaba en una gran plaza. Al atravesar este puente, miré hacia los dos costados y vi que en ambos márgenes del ríc había varias fábricas cubiertas de yuyos, y lo mismo ocurría en la parte baja del camino. En la lontananza, debajo del puente, el agua se veía muy abundante. A mi derecha, río arriba, dos inmensos saltos de agua podían verse, y río abajo, a mi izquierda, al menos uno. El estridor era insoportable desde el puente. Del otro lado del río bordamos una amplia plaza y nos detuvimos a la derecha, frente a una gran casa, pintada de amarillo y encumbrada con una cúpula. Un rótulo, apenas legible sobre la puerta, decía que aquello era *Gilman House*.

Me sentí dichoso al bajar del autobús. Poco después entregué mi valija en el luctuoso hall del hotel. Una sola persona estaba a la vista, un hombre anciano que no tenía lo que yo denominaba "el cariz de Innsmouth". Resolví no hacer preguntas inquisitorias, ya que recordaba los relatos extraños que se contaban sobre este hotel. Luego de esto, salí a dar una vuelta por la plaza. El autobús ya se había marchado. Pasé el tiempo investigando el lugar.

De un lado, la plaza daba a un solar atiborrado de piedras, detrás del cual se desplegaba el río. Del otro lado, había un semicírculo de edificios de ladrillos con techos oblicuos que parecían ser del año 1800. Desde allí se disparaban varias calles en forma de abanico. A juzgar por los escasos faroles, estas calles tendrían por la noche un alumbramiento exiguo. Me alegró mi idea de marcharme del lugar antes de que anocheciera. La construcción edilicia del pueblo se hallaba en condiciones bastante respetables e incluía una docena de comercios corrientes: una sucursal de una importante cadena de comestibles, un restaurante de aspecto melancólico, una farmacia, una pescadería al por mayor y, finalmente, en la punta de la plaza, cerca del río, las oficinas de la única industria local, las refinerías Marsh. Por allí podían verse alrededor de diez personas y cuatro o cinco automóviles estacionados junto a la vereda. Sin duda, esto era el cetro comercial de Innsmouth. Hacia el oeste se veían las intermitencias azules del puerto, donde se dibujaban las ruinas de tres antiguos campanarios, extremadamente hermosos en su soledad. Del otro lado del río, cerca de la orilla, se destacaba una torre blanca detrás de un edificio que seguramente sería la refinería Marsh.

Luego de reflexionar un poco, resolví comenzar mi pesquisa en el negocio de comestibles. Como era una sucursal, era posible que sus empleados no fueran oriundos de Innsmouth y eso fue lo que ocurrió. El único dependiente era un joven de aproximadamente diecisiete años de perfil sincero y simpático que auguraba un gran caudal de información. Parecía estar ansioso por conversar y pronto supe que le disgustaba el pueblo, su hedor a pescado, sus habitantes escurridizos. Era una alegría para el conversar con un viajero. Su pueblo era Arkham y vivía con una familia proveniente de Ipswich. Siempre que podía, se escapaba a visitar a su familia, que se sentía molesta por que él trabajase en Innsmouth, pero la empresa le había asignado ese lugar y él no quería desprenderse de su trabajo.

Me contó que en Innsmouth no había biblioteca pública ni cámara de comercio, pero que me podría orientar fácilmente por las calles. Era previsible que hallara monumentos de interés. Yo había descendido en Federal Street. De allí salían, en dirección al poniente, una retahíla de calles residenciales en abanico: Broad, Washington, Lafayette y Adams; del otro lado se desplegaba el mísero vecindario marinero. En ese barrio, cuyo conducto era Main Street podría encontrar bellas, antiguas y completamente desoladas iglesias de estilo gregoriano. Era aconsejable que no llamara demasiado la atención en aquel sitio, especialmente al norte del río, porque los vecinos eran personas hurañas y mal llevadas. Incluso se contaba que algunos viajeros habían desaparecido allí.

Según había asimilado, a fuerza de aflicciones, algunos lugares constituían una zona prohibida. No era conveniente, por ejemplo, merodear por los alrededores de la refinería Marsh, ni por la cercanía de cualquiera de los templos en actividad, ni frente al edificio de la Orden de Dagón, ubicado en New Church Green. Los ritos que se llevaban a cabo eran muy extraños. Todos habían sido deslegitimados por sus correspondientes iglesias fuera de Innsmouth. Los cultos locales, aunque mantuvieran sus nombres originales, practicaban rituales extravagantes y usaban vestimentas sacerdotales extremadamente raras. Los tipos heréticos y enigmáticos de fe que tenían hacían referencia a ciertas increíbles transformaciones a través de las cuales se conseguía la eternidad material de este mundo. El pastor del pueblo del joven, el doctor Wallace, de Arkham, lo había prevenido de no acudir a ninguna iglesia de Innsmouth.

Respecto de la gente, él sabía muy poco. Eran escurridizos y se dejaban ver con excepcionalidad, viviendo como topos en sus madrigueras; de manera tal que era muy dificultoso imaginarse en qué ocupaban su tiempo, además de la pesca sempiterna. Si se tenía en cuenta la cantidad de licor de contrabando que consumían, debían pasar la mayor parte del día ebrios. Parecían estar ligados por una enigmática hermandad y sentían un profundo desdén por el resto del mundo, como si ellos hubieran sido elegidos para una existencia mejor. Lo que más le disgustaba de ellos era su aspecto, particularmente aquellos ojos fijos e impertérritos que jamás pestañeaban. También sus voces enronquecidas de tono inhumano. Lo más execrable en esta tierra era oírlos cantar en las iglesias por la noche, particularmente en las grandes celebraciones —las denominadas renacimientos— que ocurrían dos veces al año: el 30 de abril y el 31 de octubre.

Eran muy amantes del agua y siempre se les podía ver nadar en el río y en el puerto. Eran habituales las carreras de natación hasta el Arrecife del Diablo y si uno los observaba aseguraría que todos estaban en condiciones físicas de poder participar en esta rigurosa competencia deportiva. Si reflexionaba, caía en la cuenta de que las únicas personas que se dejaban ver eran jóvenes. Pero incluso entre ellos, a los mayores se les notaban ciertos rasgos de decadencia. Era difícil hallar adultos sin vestigios de deformación biológica, como el empleado del hotel, y era un enigma lo que sucedía con los ancianos. ¿Acaso lo que yo había llamado el "cariz de Innsmouth" sería una extraña patología que iba horadando su organismo a medida que pasaban los años?

Ciertamente, únicamente una grave patología tendría la capacidad de producir semejantes transformaciones tan profundas, que modificaban incluso la conformación del cráneo. Siendo así, no sería tan asombroso, puesto que se trataría de una enfermedad. De cualquier forma, el joven dejo ver que era difícil extraer conclusiones certeras sobre el caso, ya que nunca se conseguía conocer personalmente a los ancianos lugareños, aunque se estuviese mucho tiempo allí.

Afirmó que existían personas más disgustantes que las que podían verse en la calle, pero que las enclaustraban en determinados sitios. Se decían cosas verdaderamente raras. Decían que las casas porteñas tenían pasadizos subterráneos para comunicarse entre sí y que todo el vecindario era un legítimo criadero de monstruos. Era indiscernible el tipo de sangre que corría en sus venas, si es que tenían alguna. Si llegaba al pueblo algún embajador del Gobierno o un personaje célebre, ocultaban a los tipos más desagradables. Agregó que no tenía sentido preguntarles algo acerca del lugar. El único que podría hablar era un anciano que vivía en un geriátrico de las afueras del pueblo, y que habitualmente paseaba por las calles cercanas al parque de bomberos. Este personaje adorable llamado Zadok Allen tenía noventa y seis años, estaba algo perturbado mentalmente y era el borracho más célebre del pueblo. Era un ser furtivo y extravagante que siempre miraba de costado temiendo algo indefinible. Si estaba tranquilo, no se le podía sacar una sola palabra. No obstante, podía rehusar cualquier tipo de invitación y ya ebrio relataba las historias más sorprendentes del mundo.

De cualquier forma, de él sólo podía conseguir algunos datos de utilidad, puesto que únicamente decía locuras, historias inverosímiles y horrores impensables, acordes con una mente perturbada. Auque nadie le creía, a la gente de Innsmouth le desagradaba verlo beber y conversar con los forasteros. No era conveniente ser visto haciéndole preguntas. Quizá los chismes absurdos que circulaban habían sido inventados por él.

Era cierto que algunos pobladores de Innsmouth oriundos de otros lugares decían haber visto situaciones ominosas, pero los relatos luctuosos del viejo Zadok junto con los rasgos anómalos de los habitantes bastaban para dar origen a todo tipo de creencias y fantasías. Ninguno de los que vivían allí y pertenecían a otro pueblo osaba salir de noche. Se les advertía que era riesgoso. Por otro lado, las calles estaban siempre en la más honda oscuridad.

Respecto del comercio, era notable la hiperabundancia de pescado; aunque paulatinamente la ganancia decrecía en Innsmouth. Los precios bajaban todo el tiempo y la competencia siempre aumentaba. Naturalmente, el auténtico negocio del lugar era la refinería; unos portales más allá, en la plaza, estaban sus oficinas. Al viejo Marsh nunca se le veía. Su automóvil pasaba a veces con las cortinas cerradas.

Había toda una retahíla de rumores acerca de la mutación que había sufrido el viejo Marsh. En su juventud había sido muy pulcro y se contaba que siempre andaba vestido con una levita muy elegante de los tiempos del Rey Eduardo, aunque había sido adaptada a alguna de sus deformidades. En un principio sus hijos se habían hecho cargo de la oficina de la plaza, pero recientemente se habían apartado de la vida pública, dejando esta carga a la generación más joven. Estos hijos como sus hermanas habían padecido una extraña transformación, particularmente los más adultos, y se contaba que su salud era muy precaria.

Según se sabía, una de las hijas de Marsh era ciertamente horrible. Parecía un reptil. De acuerdo con lo que me dijo este joven, siempre estaba cargada con una multitud de joyas esplendorosas, e incluso llevaba una tiara de la misma índole que la del museo. Él en persona se la había visto en la cabeza más de una ocasión. Indudablemente era parte de algún tesoro ocultado por los filibusteros o los demonios. Los ministros de la fe, —o los pastores, o como correspondiese llamar a esos sacerdotes— usaban también tiaras de ese tipo. Pero no era común verlos. Me reveló que él únicamente había visto la de la muchacha, aunque se decía que había muchas en la ciudad.

Había otras familias adineradas, además de los Marsh: los Waite, los Gilman y los Eliot. Todos ellos eran personas ensimismadas. Habitaban inmensos caserones en Washington Street. Se contaba que tenían prisioneros a ciertos familiares que también tenían terribles anomalías anatómicas y que habían sido dados por muertos con certificados oficiales.

El joven me hizo un esquema elemental pero bien detallado de las calles del pueblo, para que pudiera orientarme, ya que los letreros habían casi desaparecido. Consideré que me iba a ser muy útil, después de observarlo durante un instante. Se lo agradecí y me lo guardé en el bolsillo. No me entusiasmaba la idea de ir a comer al restaurante que había visto, de modo que compré un poco de queso y galletitas para comer en el camino. El plan que tenía era pasear por las calles principales, conversar con alguien que no fuese oriundo de Innsmouth, si era posible, y tomar el autobús de las ocho para Arkham. A simple vista se notaba que el pueblo era un caso extremo de decadencia colectiva. Pero como no soy sociólogo me limité a hacer observaciones respecto de la arquitectura.

Comencé prolijamente mi deambular sistemático por las luctuosas calles de Innsmouth. Después de cruzar el puente, fui hacia el ruido de las vertientes que estaban río abajo. Pasé por la refinería Marsh, de la que no salía el más mínimo ruido ni era perceptible ninguna actividad. El edificio se encontraba junto al río, cercano al puente y a una convergencia de calles que debió conformar el centro comercial original de la ciudad, luego reemplazado por la actual Plaza Mayor.

Volví a atravesar la garganta por el puente de Main Street, y llegué a una zona extremadamente desértica. Montículos de pedregullos y tejados desechos conformaban una estela desdentada y maravillosa contra el cielo. Arriba, se destacaba, acéfalo y cruel, el campanario de una vieja iglesia. Aunque sobre Main Street parecía haber ciertas casas habitadas, sus ventanas y puertas estaban cerradas con tablones clavados. Camino abajo, algunos edificios descascarados y desolados mostraban sus ventanales como negros abismos a las calles de empedrado. Algunos de estos edificios se torcían riesgosamente por las depresiones del suelo. Un silencio majestuoso imperaba. Tuve que revestirme con una armadura de valentía para atravesar aquel sitio y así llegar al puerto. Por cierto, la sensación angustiante que produce una casa deshabitada crece cuando la cantidad de esas casas se multiplica hasta conformar una ciudad completamente desértica. Un pavor que ninguna teoría puede disolver nace del continuo paisaje de callejas desoladas y frentes deplorables, multitudes de oscuros rincones vacíos, atacados por las telarañas y la carroña.

Aunque Fish Street mostraba un aspecto desértico como el de la calle principal, ofrecía algo diferente. Había varias tiendas, de piedra y ladrillo, que todavía estaban en buen estado. Water Street era casi igual, pero mostraba grandes espacios vacíos del lado del mar, donde antes habían existido muelles y atracaderos, hoy comidos por las aguas. Excepto por los pocos pescadores del remoto espigón, no se veía a nadie. Únicamente se oían los cautos lamidos de las olas en el puerto y el cosquilleo lejano de las vertientes del Manuxet. Yo me sentía paulatinamente invadido por una creciente intranquilidad. Giré la cabeza y miré hacia atrás fugazmente. Después crucé el tambaleante puente de Water Street. El último, el de Fish Street, estaba derruido, según el plano que me había dado el joven.

Del otro lado del río encontré algunos signos de actividad: manufacturas de preparación y elementos de embalaje de pescado, varias humeantes chimeneas, techos reparados, sonidos imprecisos y algunos sujetos que marchaban vacilantes por calles de un empedrado desastroso. Pero de todas formas, este vecindario era más desconsolador que la soledad de la zona sur. Las personas de este lugar eran más deformes que las del centro. En varios instantes, me hicieron recordar, imprecisamente, algo aterrador y ridículo que no pude discernir. Parecía evidente que la cantidad de sangre extranjera era mayor en esta gente que en la de los demás vecindarios, aunque si el "cariz de Innsmouth" fuese una patología, debía estar produciendo desastres en este sector. A veces también podían oírse rasguidos, huidas precipitadas, extraños y sordos fragores que me hicieron pensar, con cierta inquietud, en los pasadizos subterráneos que me había mencionado el joven de la tienda. Y súbitamente supe que todavía no les había oído decir una sola palabra y que quería que ese momento no llegase nunca. Me sobresaltaba el solo hecho de imaginar sus voces.

Luego de detenerme un instante a observar las dos iglesias de Main Street y de Church Street, bellas pero ya en ruinas, apuré el paso para abandonar lo más pronto posible aquel barrio inmundo y miserable. Mi siguiente destino debía lógicamente ser el templo de New Church Green, pero sin comprender la razón no tuve el valor para pasar otra vez frente aquella iglesia, en la que había visto la figura fugaz del sacerdote con la tiara. Por otro lado, el joven de la tienda me había prevenido acerca de que esta iglesia, así como la Orden de Dagón no eran lugares convenientes para los viajeros.

Por lo tanto, seguí por Main Street hasta Martin Street, luego caminé en dirección opuesta al mar, crucé Federal Street por encima de Green Street y me hundí en el decadente barrio aristocrático: Broad, Washington, Lafayette y Adams Street. A pesar de que sus megalómanas y antiguas avenidas tenían un asfalto desastroso, preservaban una arboleda majestuosa y no habían perdido su dignidad original.

Las construcciones eran, una tras otra, destacables. La mayor parte de ellas eran caserones desvencijados, con jardines perimetrales completamente desolados. Cada tanto había alguna vivienda habitada. En Washington Street, había un grupo de cuatro o cinco edificios bien mantenidos, con jardines exquisitos. Supuse que el más elegante de todos, que estaba rodeado de inmensos vergeles que se extendían por toda la calle hasta Lafayette Street, debía ser propiedad del anciano Marsh, el desafortunado dueño de la refinería.

No encontré a nadie en esas calles. También me extrañó la absoluta carencia de perros y gatos en Innsmouth. Otro detalle que me impresionó fue que las ventanas de los desvanes y de los últimos pisos estaban categóricamente cerradas con tablones clavados, incluso en las mansiones más importantes. El enigma y los secretos parecían propios de toda esta ciudad de apatía y desolación. Además, no podía quitarme la sensación permanente de que unos ojos ocultos, astutos y fijos, exentos de parpadeos me acechaban.

Me estremeció oír tres plañidos de una campanada quebrada. Recordaba con mucha precisión la iglesia de donde venían esos toques. Continuaba por Washington Street en dirección al río, llegué a una zona que anteriormente debió ser industrial y comercial. Delante de mí se levantaban las ruinas de una fábrica, otros edificios decadentes y los vestigios de una estación ferroviaria. A lo lejos, a mi derecha, el viejo puente ferroviario atravesaba la garganta.

En el extremo del puente había un letrero que no permitía el paso, pero yo me aventuré y pasé nuevamente a la orilla sur, donde volví a toparme con los seres fugaces de marcha vacilante que miraban de soslayo. También me miraron otros rostros, más normales pero con atisbos de curiosidad y recelo. Por momentos, Innsmouth me resultaba insoportable. Doblé por

Paine Street y me dirigí a la plaza con la ilusión de tomar algún vehículo que me llevase a Arkham, para no esperar la partida del ominoso autobús.

Fue en ese momento, cuando divisé el caótico cuartel de bomberos y hallé al anciano, de rostro colorado, barba tupida, ojos aguados y una vestimenta andrajosa inenarrable, sentado en un banco frente a él, y hablando con un par de bomberos mal vestidos, pero aparentemente normales. Evidentemente se trataba de Zadok Allen, el ebrio alocado que relataba célebres historias, aterradoras y magníficas, sobre Innsmouth.

III

No comprendo que hado luctuoso vino a torcer mi plan primitivo. Mi objetivo era solamente apreciar la estética de la arquitectura; e incluso tenía premura por llegar a la Plaza. Deseaba saber si podía abandonar rápidamente aquel pueblo nefasto. Pero cuando vi al anciano Zadok Allen surgió en mí un interés renovado y empecé a demorar mis pasos.

Sabía que lo único que podía oír del viejo era una retahíla de relatos inverosímiles y desequilibrados. Por otro lado, yo había sido advertido de que no era conveniente ser visto hablando con él. No obstante, no pude apartarme de la sensación de acercarme a un viejo espectador de la ruina del pueblo, mundo de recuerdos sobre los buenos tiempos en que los barcos zarpaban y las fábricas funcionaban. Después de todo, incluso el relato más mentiroso tiene siempre un fondo de realidad… y era previsible que el anciano Zadok hubiera sido testigo de las desgracias que cayeron sobre Innsmouth durante los últimos noventa años. La curiosidad me llevaba más allá del límite de la cautela. Además, mi arrogancia juvenil me hacía pensar que sería capaz de desenredar la abstrusa verdad que debía esconderse detrás de su oscuro relato, con colaboración del whisky.

Era obvio que no podría interceptarlo allí porque los bomberos intentarían evitarlo. Reflexioné cómo hacerlo. Conseguiría una botella de contrabando. El joven de la tienda me había informado como obtenerla. Luego pasaría por el cuartel de bomberos en forma casual y le hablaría cuando tuviese oportunidad. El empleado de la tienda también me había informado que Zadok era una persona hiperquinética y que nunca se quedaba sentado más de dos horas.

Fue sencillo pero no barato, obtener un cuarto de botella de whisky en la parte posterior de un establecimiento de variadas mercancías, que había al final de la Plaza, en Eliot Street. El hombre que me atendió tenía el mismo "cariz de Innsmouth", aunque me trató con bastante amabilidad, tal vez por estar habituado a tratar con viajeros —contrabandistas y personas por el estilo— que estaban ocasionalmente en el pueblo.

Cuando llegué a la plaza supe que la suerte me acompañaba: apareció por la esquina de Gilman House, viniendo de Paine Street, nada menos que la adelgazada silueta del mismo Zadok Allen. Tal como lo había pensado, llamé su atención jactándome con la botella. Pronto comprobé, al doblar por Paine Street, buscando un lugar apartado, que el viejo me seguía con paso vacilante.

Me guié con el plano del joven de la tienda. Traté
de encontrar un sitio solitario que había visto previa-
mente, al sur del barrio marino, donde sólo se veían
los pescadores en la lontananza. Atravesé algunas
manzanas más y ya ni siquiera pude distinguir a aquellos testigos lejanos. Arribé finalmente a un atracadero
abandonado, realmente desolado. Allí podría inqui-
rir ampliamente al anciano Zadok sin ser visto. Antes
de llegar a Main Street, oí un llamado débil y nervioso
a mi espalda.. Permití que el anciano me alcanzara y
que tomara un trago abundante.

Comencé a tantearlo mientras marchábamos a través de aquella soledad, en frentes destartalados y
viejos. Rápidamente comprendí que el anciano no sol-
taba la lengua tan pronto como lo había imaginado.
Luego, llegamos a un solar atacado por las hierbas,
circundado por verjas desvencijadas, excepto por donde se comunicaba con un muelle atiborrado de algas.
Las piedras musgosas a lado del agua ofrecían unos
asientos respetables y el sitio estaba protegido de mi-
radas curiosas, ya que lo ocultaba el muelle ruinoso
que estaba detrás. Conjeturé que éste sería el mejor
lugar para mantener una larga conversación, de modo
que me dirigí hacia allí con mi compañero, y los dos
nos sentamos en las piedras. La atmósfera circundan-
te era de muerte y desolación, el hedor a pescado era
intolerable, pero nada me alejaría de mi objetivo.

Tenía varias horas para gastar, si pensaba tomar
el autobús de las ocho para Arkham. Le di otro trago
al anciano, mientras yo me disponía a deglutir mi

exigua comida. Me aseguré que el anciano no tomara demasiado porque no quería que su locuacidad se transformara en modorra. Luego de una hora, comenzó a declinar su silencio, aunque para mi desilusión, continuó evadiendo mis preguntas sobre Innsmouth y su pasado luctuoso. Sólo hablaba de temas generales, evidenciando un gran conocimiento de la actualidad periodística y una fuerte tendencia a las sentencias filosóficas de los campesinos.

Habían pasado casi dos horas y yo comenzaba a pensar que el cuarto de whisky no iba a ser suficiente. Me decía si no sería mejor alejarme un momento para comprar más. Sin embargo, en el mismo momento en que me disponía a levantarme, el azar logró lo que mis preguntas no habían obtenido hasta el momento, haciendo que las ficciones del anciano tomaran un rumbo que inmediatamente concitó mi interés. Yo estaba de espaldas al mar hediondo de pescado, pero el anciano estaba de frente y sus ojos movedizos chocaron con la línea baja y lejana del Arrecife del Diablo, que en aquel momento surgía clara y atrapante, por encima de las olas. Este vislumbramiento pareció enfadarlo por que balbuceó una confusa diatriba que culminó en un susurro secreto y en una mirada recelosa. Se inclinó hacia a mí, me tomó de la solapa y comenzó a hablar muy despacio.

—Allí comenzó todo, en ese nefasto lugar. De las hondas aguas proviene todo lo malvado. Yo creo que es la boca del averno. No hay sonda que llegue hasta el fondo, no importa su longitud. El culpable fue el capitán Obed… Intentó ir muy lejos e hizo tratos con ciertas personas de los Mares del Sur.

"En aquellos días todo marchaba mal. El comercio fracasaba, las factorías quebraban y los piratas habían matado a nuestros hombres más ilustres en la Guerra de 1812. Otros murieron en un naufragio como los del bergantín *Elizy* y el lanchón *Ranger*, oriundos los dos de Gilman. Obed Marsh tenía una flota de tres barcos: el bergantín *Columby,* el *Hetty*, y la corbeta *Sumatra Queen.* Él fue el único que continuó con el tráfico de las Indias Orientales y el Pacífico, además de la goleta *Malary Bride*, de Esdras Martin, que realizó una salida en el año de 1828.

"Nunca existió alguien como el capitán Obed… ¡vástago del demonio! ¡Ja, ja! Aún creo que lo veo desparramando pestes e insultando a todos porque concurrían a la Iglesia y soportaban pasivamente sus desgracias. Decía que había dioses más benignos, que las deidades de las Indias daban pescado a cambio de sacrificios y que ellos sí escuchaban los rezos de sus creyentes.

"Su mejor amigo, Matt Eliot, también hablaba bastante. Pero propiciaba que la gente hiciera herejías de paganos. Según él, existía una isla al este de Othaheite con una muchedumbre de piedras, más antiguas que lo más antiquísimo que nadie pudiera conocer. Afirmaba que era como la Ponapé de las Carolinas, pero que tenían rostros tallados como en la isla de Pascua. Cercano a ella había un islote eruptivo, donde había ruinas absolutamente desdibujadas, como si hubieran

estado mucho tiempo debajo del agua, que represen-
taban monstruos horrorosos.

"De modo tal señor, que Matt les contaba a las personas que los aborígenes de la isla tenían todo el
pescado imaginable y preciadas argollas, brazaletes y
coronas fundidas con un tipo especial de oro, repre-
sentando los monstruos tallados en las ruinas del
islote. Parecían ranas simulando peces y peces próximos a las ranas y se les veía en todas las actitudes como si
fueran seres humanos. Nadie comprendía como habían obtenido esos tesoros ni cómo hacían para pescar
con semejante abundancia, ya que en las islas vecinas
sólo se pescaba exiguamente para sobrevivir. Matt
estaba extrañado, al igual que el capitán Obed. Este
último había notado, además, que todos los años des-
aparecían los mejores jóvenes y que no había viejos.
También notó que algunos individuos eran misterio-
samente raros, incluso tratándose de canacos.

"Finalmente, Obed descubrió la verdad. No sé
cómo lo hizo pero, en un inicio, les fue comprando las
piezas de oro que usaban. Los inquirió acerca de dónde las obtenían y si podían conseguir más, y más tarde
extrajo toda la verdad del cacique más antiguo. Su
nombre era Walakea. Nadie, excepto Obed, le habría
creído a ese viejo diabólico, pero este capitán leía como
en un libro abierto la mirada de la gente. ¡Ja, ja! Nadie me cree a mí tampoco, cuando relato estas cosas, y
estimo que usted pensará lo mismo… aunque ahora que lo observo, veo que usted tiene la misma mirada
que el viejo Obed".

La voz del anciano se volvió un susurro. Su tono era tan franco y espantoso que temblé, incluso sabiendo que todas sus palabras no eran más que un cuento parido en la ebriedad.

"De manera tal señor, que Obed supo cosas de las que muchísima gente no había sabido jamás... ni las hubiera creído al oírlas. Estos canacos parecían sacrificar multitudes de muchachos y muchachas a cierto tipo de deidades que habitaban debajo del mar, consiguiendo de ellos toda clase de beneficios en recompensa. Se juntaban con estas deidades en el islote, entre las extravagantes ruinas, y al parecer las ominosas figuras de peces-ranas tenían como modelo a estos seres. Probablemente se tratara de esa clase de divinidades que se describe en los cuentos de sirenas o en fábulas parecidas. El islote había emergido de las profundidades, donde parece que tenía muchas ciudades. Al parecer cuando el islote emergió, aún se hallaban vivos algunos de estos seres entre las ruinas y los canacos conjeturaron que debía haber muchísimos otros debajo del mar. De este modo, cuando tuvieron el valor para hacerlo, trataron de comunicarse con ellos a través de señas y al final consiguieron hacer un pacto.

"Aquellas deidades se deleitaban con los sacrificios humanos. En un tiempo lejano habían emergido a la superficie y habían realizado sacrificios, pero luego se habían desvinculado completamente del mundo de arriba. No sé qué harían con los cuerpos sacrificados; y supongo que Obed tampoco se habrá atrevido a preguntarlo. Pero a estos sacrílegos canacos no les interesaba demasiado, porque estaban pasando tiempos difíciles y estaban desesperados. De modo tal que, dos veces al año, la noche de los Walpurgis y la noche de los Difuntos, entregaban cierta cantidad de jóvenes a estas deidades marinas. También les entregaban ciertas orfebrerías baratas que solían hacer. En recompensa, los monstruos marinos les daban piezas de oro macizo y enormes cantidades de pescado.

"Así que, como he dicho, los canacos se juntaban con esos seres en el islote eruptivo… Iban en rústicas canoas con las víctimas y las baratijas y regresaban con las piezas de oro que recibían. En un comienzo, las deidades no querían dirigirse a la isla mayor, pero, súbitamente un día aceptaron ir. Al parecer, querían mezclarse con esa gente y celebrar con ellos las dos ceremonias, la noche de Walpurgis y la noche de los Difuntos. Como puede notar, podían vivir dentro y fuera del agua. Es decir, que eran anfibios, dentro de nuestra clasificación. Los canacos les avisaron que los pobladores de las islas restantes los destruirían si sabían que iban allí, pero estas deidades respondieron que no se preocuparan, ya que tenían el poder suficiente para aniquilar la raza humana, excepto a aquellos que tenían ciertas insignias y que ellos denominaban los 'Primordiales'. De todos modos, como no querían problemas se escondían cuando alguien visitaba la isla mayor.

"Cuando llegó la época de celo a estas deidades de perfil de batracio, los canacos se mostraron un tanto reticentes, pero luego supieron algo que modificó su opinión. Al parecer, los seres humanos tenemos cierto lazo de parentesco con estas deidades marinas, ya que todas las formas vitales han surgido del agua y únicamente un pequeño cambio las puede hacer volver a ella. Estos seres les advirtieron a los canacos que si mezclaban sus sangres, en el comienzo nacerían hijos con facciones humanas pero lentamente se irían modificando hasta semejarse cada vez más a ellos, y por último, volverían al agua, para conformar la comunidad de los cardúmenes de seres que pululan debajo del agua. Y, esto es lo esencial, mi joven amigo, dijeron que cuando fueran peces-ranas y regresaran al agua como ellos, serían inmortales. Estas deidades no mueren nunca, a no ser que se les asesine violentamente.

"De modo tal, amigo, que cuando Obed conoció a los nativos, ya tenían en su sangre mucho de la esencia de estas bestias. A medida que iban envejeciendo y sus rasgos batracios eran más evidentes, se escondían hasta que sintieran la completa necesidad de hundirse en el mar. Algunos tenían más sangre de estos seres que otros y también estaba el caso de quien no legaba a mutar lo suficiente como para hundirse en el fondo del mar, pero finalmente casi todos se hacían monstruos marinos, como se les había adelantado. Los que eran más parecidos de nacimiento se sumergían primero, los que nacían con aspecto más humano vivían en la isla, incluso hasta pasados los setenta años, aunque solían bajar al fondo para ensayar y ver. Y los que ya se habían hundido, regresaban de visita, y de este modo, era factible que alguien se encontrara con el tatarabuelo de su tatarabuelo, que se habían hundido en el mar doscientos años atrás aproximadamente.

"Nadie pensaba ya en la muerte... excepto si se trataba de una guerra con la gente de las islas restantes, o si eran víctimas del sacrificio a los dioses marinos, o si los picaba una víbora, o si los atacaba una enfermedad antes de regresar a las aguas. En una palabra, pasaban sus momentos esperando que sobreviniese el cambio sobre ellos, al que se habían habituado y ya no les parecía nefasto. Opinaban que la mutación tenía un sentido y supongo que Obed pensaba lo mismo después de haber reflexionado sobre lo que le había contado el cacique Walakea. A despecho de esto, Walakea era uno de los únicos que tenía su sangre impoluta. Pertenecía a una familia real, que únicamente se vinculaba con miembros de las familias reales de otras islas.

"Walakea instruyó a Obed acerca de numerosos rituales y conjuros relativos a aquellos seres y le hizo conocer a nativos que estaban medio convertidos, pero jamás le dejo ver a ninguno completamente transformado. Luego le entregó un pequeño y extravagante amuleto de plomo o algún material similar y lo previno acerca de que atraía a los célebres peces-ranas en cualquier lugar del mar, siempre que debajo hubiese un nido de ellos. Lo único que debía hacer era arrojar el amuleto al agua, diciendo las invocaciones correctas. Walakea le informó que los peces-rana estaban distribuidos por todo el planeta, de manera tal que era fácil encontrar un nido e invocarlos.

"A Matt le disgustaba todo esto y él rogó a Obed que no se acercase a la isla, pero el capitán estaba ávido de dinero y aquellas orfebrerías de oro eran tan baratas que finalmente fueron su especialidad. Durante largos años, todo se desenvolvió de este modo, hasta que Obed extrajo una cantidad suficiente de oro para poner en funcionamiento la refinería en la edificación de la antigua fábrica de Waite. Para evitar las predecibles inquisiciones de la gente, no vendía las joyas tal como las recibía. No obstante, a veces, algún miembro de su tripulación le robaba alguna pieza y la vendía por su cuenta. Por otro lado, Obed también permitía que las mujeres de su familia se ornamentasen con ellas, como todas las mujeres del universo lo hacen.

"Ahora bien, en 1838, cuando yo contaba con apenas siete años, Obed tuvo la noticia que los nativos habían desaparecido. Al parecer, los habitantes de las islas vecinas habían conocido lo que estaba sucediendo y habían decidido hacer un corte violento. Yo creo que debían tener alguno de esos emblemas mágicos que era lo único que los perturbaba, tal como decían las deidades marinas. Es sabido que los canacos tienen una vista de lince, así que, imagínese si ven una isla que de pronto emerge con ruinas más antiguas que el diluvio, lo poco que demorarían en acercarse a ver de qué se trata. Lo cierto es que devastaron todo, tanto en la isla grande como en el islote eruptivo, excepto las ruinas que eran demasiado grandes para ser destruidas. En ciertos sitios, dejaron algunas piedras a modo de talismanes con un signo grabado como el que ahora llaman la svástica. Debían ser las marcas de los Primordiales. En conclusión, arrasaron con todo, no dejaron vestigios de las piezas de oro y luego ningún canaco del lugar quería referir una sola palabra acerca del asunto. Llegaron inclusos a garantizar que nunca nadie había habitado aquellas islas.

"Obviamente a Obed todo esto le cayó muy mal porque significaba el fin de su negocio. A su vez, todo Innsmouth padeció las consecuencias, porque lo que en esos tiempos daba ganancias al armador, también daba ganancias a toda la población. La mayor parte de la población tomó el asunto con resignación, pero verdaderamente estaban en la quiebra absoluta, porque la pesca escaseaba cada vez más y todas las industrias languidecían.

"Fue entonces cuando Obed comenzó a proferir imprecaciones contra la gente por pasarse estúpidamente la vida rezándole al Dios de los cristianos, que era totalmente inservible. Les manifestó que él conocía a otros pueblos que adoraban a dioses que certeramente concedían a sus fieles lo que éstos les pedían, y afirmó que si conseguía quienes lo secundasen, él se avocaría a encontrar la protección de esos dioses que podrían proporcionarles pesca abundante y cierta cantidad de oro. Por cierto, los tripulantes del *Sumatra Queen*, que habían estado en la isla, entendieron a qué se estaba refiriendo y no se sintieron muy

felices de tener que acercarse a esas deidades marinas; pero otros que desconocían por completo el
asunto, se sintieron fuertemente impresionados por
las palabras de Obed sobre estos nuevos dioses —o
antiguos, según la perspectiva— y comenzaron a cues-
tionarlo acerca de esa religión que tanto prometía".

En este punto, el anciano se detuvo trémulo, lanzó
un gruñido y se hundió en una reflexiva introspec-
ción. Dio un rápido vistazo por encima del hombro y
después se encandiló nuevamente mirando la estela
negra del Arrecife lejano. Le hice una pregunta y no
me contestó. Supe que debía dejar que terminara su
botella. La historia esquizofrénica que estaba escuchando me interesaba profundamente, ya que, según
mi óptica, era una suerte de alegoría que simbolizaba
todo el ámbito infecto de Innsmouth explicado a través de una fantasía desproporcionada, contaminada
con toda clase de historias legendarias. Ni un solo instante creí que la historia contara con el más mínimo
fundamento, pero en ella percibía un terror auténtico,
quizá por la referencia a las joyas extrañas, que tanto
me recordaban la tiara que había visto en Newburyport. A fin de cuentas, era probable que aquel
adorno fuera oriundo de una isla remota y que la absurda historia de Zadok fuera otra mentira del difunto
Obed y no un delirio de borracho.

Le alcancé la botella y la tomó hasta la última gota.
Tenía una increíble resistencia al alcohol, ya que, a
pesar de su abundante cantidad ingerida, no balbuceó ni una sola vez. Luego de terminar la botella, sorbió

el cuello y se la guardó en el bolsillo. Después dio algunos cabeceos y comenzó a murmurar cosas incomprensibles. Me aproximé más a él para ver si entendía alguna de sus palabras, pero sólo creí reconocer una sonrisa sarcástica detrás de sus bigotes descoloridos e hirsutos. En efecto, estaba diciendo algo. Y pude comprender lo que decía:

—Pobre Matt... No se quedó quieto, no. Quiso poner a la gente de su lado y habló en muchas oportunidades con los sacerdotes, pero todo fue inútil. El predicador congregacionista fue expulsado del pueblo, el metodista se fue solo, el anabaptista, Resolved Babcock, desapareció... ¡Santa cólera de Jehová! Yo sólo era un niño, pero oí lo que oí, y vi lo que vi... Dagón y Astharoth... Belial y Belcebú... El Becerro de Oro y los fetiches de Canaan y de los filisteos... Monstruosidades de Babilonia... *Mene, mene tekel, upharsin.*

Otra vez se detuvo. Creí por la mirada de sus ojos azules aguados que estaba próximo a la ebriedad. Sin embargo, cuando lo sacudí del hombro, se dio vuelta vivamente y me dijo algunas frases abstrusas:

—Así que no me cree, ¿no es verdad? ¡Ja, ja, ja!... Entonces explíqueme, usted, muchacho, ¿por qué el capitán Obed zarpaba de noche en bote con veinte hombres rumbo al Arrecife del Diablo, y allí todos se ponían a cantar a viva voz, de modo que se los podía oír en cualquier parte del pueblo cuando soplaba el viento procedente del mar? ¿Por qué, dígame? ¿Y por qué arrojaba unos pesados bultos de un lado del Arrecife, donde hoy se puede tirar un escandallo y éste no llegaría hasta el fondo de aquí hasta mañana? ¿Y qué hizo con el amuleto de plomo que le dio Walakea? Dígamelo, ¿eh? ¿Y podría explicarme qué clase de cánticos entonaban juntos la noche de Walpurgis y la noche de los difuntos? ¿Y por qué los nuevos predicadores, que antes habían sido hombres de mar, se ataviaban con extravagantes vestidos y se ponían ciertas coronas de oro que Obed había traído? ¿Eh?

Los ojos azules aguados de Zadok Allen tenían ahora un tinte demente, casi esquizofrénico y los pelos de su barba desarreglada estaban erizados. Quizá comprendió mi gesto espontáneo de perplejidad, porque comenzó a reírse a carcajadas perversamente:

—¡Ja, ja, ja! Ahora empieza a ver con nitidez, ¿no? Probablemente le hubiera agradado estar en mi piel en esa época y ver en las noches, desde mi terraza, las cosas que ocurrían en el mar. ¡Muy bien! Yo era pequeño, pero también los conejos son pequeños y tienen orejas grandes, y yo, no dejaba de perder ¡ni una palabra de lo que decía el capitán Obed y los que lo acompañaban al Arrecife! ¡Ja, ja, ja! ¿Y la noche en que subí a la terraza con el catalejo de mi padre y observé que el Arrecife estaba repleto de seres que se arrojaban al agua cuando salía la luna? Obed y sus acompañantes estaban en el bote, de este lado, pero esos seres se hundieron por el otro lado, donde el agua es más profunda, y no reaparecieron. ¿Hubiera querido ser un niño y estar solo allá arriba observando *aquellos contornos inhumanos*?...¡Ja, ja, ja!

El anciano parecía estar enloqueciendo, lo que me inquietó. Puso en mi hombro su mano trémula y se tomó de un modo arrebatado.

—Imagínese que una noche usted sube a la terraza y ve que en el bote de Obed llevan un pesado bulto, que lo arrojan al agua del otro lado del Arrecife y al día siguiente toma conocimiento de que ha desaparecido un muchacho de su casa. ¿Qué le parece? ¿Volvió, usted, por azar a ver a Irma Gilman? ¿Y a Nick Pierce y a Luelly Waite, y a Adoniam Southwick, y a Henry Garrison, acaso? ¿Los vio usted? Yo tampoco… Monstruos que hababan por señas con las manos… los que tenían algo así como manos…

"Vea usted señor, fue en ese momento en que Obed empezó a prosperar nuevamente. Sus tres hijas comenzaron a adornarse otra vez con joyas de oro nunca vistas antes en ellas y el humo volvió a escapar de las chimeneas de la refinería. El resto también prosperó. Súbitamente la pesca se multiplicó y era suficiente con que uno echara las redes para luego cargar, y, de ese modo, fueron incontables las toneladas de pescado que embarcamos para llevar a Newburyport, Arkham y Boston. En ese momento Obed logró que se tendiera la línea ferroviaria. A ciertos pescadores de Kingsport llegaron los rumores de lo que se pescaba por aquí y vinieron con sus chalupas, pero todos desaparecieron y nunca más se supo de ellos. También en ese momento se instauró la Orden Esotérica de Dagón. Adquirieron la logia de los masones y la convirtieron en su centro de operaciones… ¡Ja, ja, ja! Matt era masón y se opuso a que se vendiera la logia… Justamente entonces desapareció.

"Note usted que no afirmo que Obed quisiera que las cosas ocurriesen igual que en la isla canacos. Aseguraría que al principio no quería que la gente mezclara su sangre con las deidades marinas, para que más tarde nacieran hijos que con el transcurso del tiempo regresarían al agua y devendrían inmortales. Él quería oro y estaba dispuesto a pagarlo a buen precio, y supongo que en el comienzo los demás estarían satisfechos…

"Hacia 1846 el pueblo fue centro de innumerables habladurías. Desaparecía mucha gente y las prédicas dominicales eran demenciales… En todo momento se hablaba del Arrecife… Yo contribuí en cierta medida porque me dirigí a Selectman Mowry para contarle lo que había visto desde la terraza de mi casa. Una noche la banda de Obed salió rumbo al Arrecife y escuché una estampida de balas entre varios botes. Al día siguiente, Obed y treinta y dos personas más estaban en prisión. La pregunta de todos era qué habría sucedido con exactitud y de qué se los acusaba. ¡Santo Dios, si hubiésemos previsto lo que acontecería dos semanas más tarde, ya que durante ese tiempo no se había arrojado ni un solo bulto más al mar!"

En Zadok Allen eran visibles las marcas del pánico y el cansancio. Permití que callara durante un largo rato. Yo solamente miraba mi reloj alternativamente. La marea era otra. Empezaba a subir y parecía que el murmullo de las olas era capaz de despejar un poco al anciano. Me animé pensando que con la pleamar, el hediondo olor a pescado se atenuaría. Nuevamente me acerqué para comprender las palabras que decía entre dientes.

—Esa noche terrorífica... yo los vi. Yo estaba en la terraza... Eran una suerte de hueste maldita... El Arrecife estaba atiborrado. Se arrojaban al agua y se dirigían nadando hacia el puerto, y a través de la desembocadura del Manuxet... ¡Santo Dios, las cosas que sucedieron en las calles de Innsmouth esa noche! Incluso llegaron hasta nuestra puerta y la golpearon, pero mi padre se negó a abrir... Más tarde salió en busca de Selectman Mowry con su escopeta, a ver si era posible hacer algo... Se contaron muchos muertos, heridos, disparos y gritos en todas partes... En Old Square, en Town Square, en New Chuch Green. Las puertas de la prisión fueron abiertas violentamente... Hubo proclamas... Denunciaban una traición... Luego, cuando vinieron al pueblo delegados del gobierno nacional y supieron que faltaba la mitad de la gente, informaron que la causa era una peste... Sólo estaban los esbirros de Obed y aquellos que estaban decididos a no hablar jamás... Yo jamás volví a ver a mi padre.

El anciano temblaba y sudaba con frenesí. Su mano se aprisionaba fuertemente a mi hombro.

—A la mañana siguiente, todo parecía normal. Pero aquellas bestias habían dejado sus *rastros*... Obed tomó el liderazgo y aseguró que las cosas cambiarían. *Otros* vendrían a nuestros rituales para rezar con nosotros y algunas casas hospedarían a ciertos *invitados*... deidades del mar que deseaban mezclar su sangre con la nuestra, como había sucedido con los canacos y él no se los impediría. Obed estaba totalmente involucrado en el asunto. Estaba como loco. Aseguraba que nos regalarían pescado y tesoros y que había que otorgarles lo que pedían.

"Al parecer todo continuaría en los mismos carriles, pero nos instó a que evitáramos a estos invitados por nuestro bien. Todos debimos hacer el juramento de Dagón. Luego, hubo un segundo y tercer juramento que sólo algunos de nosotros hicimos. Los que realizaran servicios especiales, recibirían especiales beneficios —oro y otras cosas. Era infructuoso hacer una rebelión, porque en la profundidad del océano ellos se multiplicaban infinitamente. No deseaban exterminar a la raza humana, pero si los desobedecíamos nos mostrarían que eran capaces de hacer. Carecíamos de rituales para conjurarlos, como si podían hacerlo los de las islas de los Mares del Sur, porque los canacos jamás nos dieron a conocer sus secretos.

"Debíamos ofrecerles cuantiosos sacrificios, baratijas y hospedarlos en el pueblo cuando ellos así lo dispusieran. Sólo así nos dejarían en paz. A ningún turista debíamos permitirle que desparramara estas historias… En conclusión, estaba prohibido espiar. Los que integraban el grupo de los fieles —los de la Orden de Dagón— y sus descendientes no morirían, sino que volverían a la Madre Hydra y al Padre Dagón, de donde todos provenimos… *¡Iä! ¡Iä! ¡Cthlhu fhtagn! ¡Ph'nglui mglw'nafh Cthulhu R'lyeh wgah-nagl fhtagn!*…"

El anciano Zadok había comenzado a delirar. ¡Era un hombre infeliz, que se veía hundido en lamentables ficciones por culpa del alcohol y del asco que sentía por el mundo aterrador que lo rodeaba! Prorrumpió en llantos y quejas, mientras sus lágrimas recorrían sus mejillas rugosas para ocultarse finalmente entre la barba.

—¡Santo Dios, qué cosas he visto desde mis quince años! *¡Mene, mene tekel, upharsin!* La gente desaparecía y se mataba entre sí. Cuando estas noticias llegaron a Arkham, Ipswich y más allá, afirmaron que todos habíamos enloquecido, del mismo modo que usted lo está pensando de mí. Pero, ¡Santo Dios, las cosas terribles que he visto! Yo hubiera sido asesinado mucho antes, si no hubiera hecho el Primer y el Segundo Juramento. Únicamente eso es lo que me protege, a menos que un tribunal formado por ellos dictamine que he contado alevosamente todo lo que sé... Nunca quise prestar el Tercer Juramento. Antes prefiero morir.

"Cuando ocurrió la Guerra Civil, las cosas fueron peores, porque *los vástagos nacidos en 1846 comenzaron a ser adultos*, al menos algunos. Yo estaba amedrentado. No se me había ocurrido espiar desde aquella noche, y jamás desde entonces volví a ver de cerca a ninguna de *aquellas deidades*... ninguna de pura sangre. Me fui a la guerra y si hubiera sido algo sensato me habría radicado lejos de aquí. Pero me escribieron contándome que las cosas iban mejor. Supongo que lo decían porque los ejércitos del gobierno habían invadido el pueblo. Esto ocurría en 1863. Luego de la guerra, las cosas empeoraron nuevamente. La gente volvió a paralizarse, las industrias y las tiendas fenecieron, la arena inundó la dársena del puerto y el ferrocarril no volvió a funcionar. Pero *esos seres* seguían flotando en el mar y en el río, y atestaban el Arrecife. Y cada vez era más frecuente tapiar las ventanas de los pisos superiores de las casas y cada vez era más frecuente oír ruidos en edificios supuestamente abandonados...

"La gente dice innumerables cosas de nosotros. Usted sabe algo, por las preguntas que hace... Afirman que a veces se ven cosas extrañas por aquí y joyas no fundidas totalmente. Pero en conclusión, nada. Y verdaderamente, no creen lo que dicen. Creen que las piezas de oro provienen de un tesoro ocultado por piratas y creen que la gente de Innsmouth tiene sangre extranjera o padece alguna extravagante patología. Además, aquí intentan deshacerse de los turistas tan pronto como llegan y si quieren quedarse, pronto pierden las ganas de husmear, especialmente de noche... Recuerdo que los animales se enfurecían cuando alguien de aquí se les cruzaba por delante, especialmente los caballos; más tarde con el automóvil el problema desapareció.

"En 1846, el capitán Obed contrajo enlace por segunda vez, pero a esta segunda mujer *nadie la vio nunca...* Se comentaba que fue obligado a contraer matrimonio. Esta mujer le dio tres hijos: dos de ellos desaparecieron muy jóvenes, pero el tercero, que fue una niña, era tan normal como usted y yo, y fue enviado a Europa para estudiar. Luego Obed logró casar a esta hija con un pobre infeliz de Arkham, que no sospechaba qué se estaba echando encima. Ahora no sucedería. Nadie quiere tener vinculación con la gente oriunda de Innsmouth. Quien hoy está al mando de la refinería, Barnabas Marsh, es nieto de Obed y de su primera esposa, es decir, que es el hijo de Onesiphorus, el mayor de los hijos de Obed, *pero su madre es otra de las personas que jamás fue vista en público.*

"Por cierto, justo ahora Barnabas está en trance de metamorfosis. Ya no puede cerrar los ojos y ha perdido el aspecto humano. Se cuenta que todavía está vestido, pero pronto regresará a las aguas. Tal vez ya lo haya intentado. Se acostumbra ir habituándose paulatinamente antes de irse en forma definitiva. Hace diez años, como mínimo, que no se le ve en público. ¡No me imagino lo que sentirá su infeliz mujer! Ella es oriunda de Ipswich y los de allí casi lincharon a Barnabas, cuando supieron que le hacía la corte, cincuenta años atrás. Obed murió en 1878 y todos los descendientes de la primera generación ya desaparecieron. Los hijos de la primera esposa murieron, los demás, sólo Dios lo sabe".

El fragor de la marea creciente iba intensificándose, mientras que el ánimo doloroso del anciano fue cambiado por un estado alarmista. Se detenía a cada instante, mirando soslayadamente hacia el Arrecife y a pesar de la incoherencia de su relato, me transmitió su sensación recelosa. Su voz se adelgazó en un chillido, como si intentara darse valor hablando más fuerte:

—¿Por qué no dice nada, usted? ¿Acaso quisiera vivir en un pueblo como éste, donde todo está en descomposición, y hay bestias ocultas que se arrastran y aúllan y gimen y saltan dentro de sus cuevas ominosas y en los recovecos de cada esquina? ¿Le agradaría escuchar todas las noches los aullidos provenientes de los templos y de la sede de la Orden de Dagón, *sabiendo quién los emite*? ¿Le agradaría oír la trapisonda de voces que se oye en el Arrecife de Satanás, cada noche de Walpurgis y cada noche de los Difuntos? ¿Eh? Sin embargo, usted cree que estoy totalmente loco, ¿no es cierto? ¡No, señor mío! *¡Aún no le he contado lo más grave!*"

Zadok ahora estaba vociferando demencialmente y su voz causaba una terrible inquietud.

—¡Maldición! ¡No me mire así, lo único que dije es que Obed Marsh está en el infierno y lo merece! ¡Ja, ja! ¡Dije en el *infierno*! No pueden hacerme nada. No dije ni hice nada a nadie...

"Ah, usted sigue aquí, joven! Ciertamente, nunca revelé nada a nadie, pero ahora lo voy a hacer. Siéntese a mi lado y óigame, porque esto es un secreto. Yo le dije que desde aquella noche no volví a espiar, pero de todos modos, ¡uno se entera de las cosas!

"¿Quiero saber lo auténticamente tenebroso? Entonces, aquí lo tiene: lo tenebroso no es *lo que han hecho* esos peces-ranas demoníacos, sino *lo que van a hacer*. Hace años que suben al pueblo, con cosas que traen de las aguas abismales. Las casas que están al norte del río, entre Water Street y Main Street, están atestadas de estos demonios y de las *cosas que han traído,* y cuando estén listos, cuando estén listos… ¿oyó hablar del *shogoth*?

"Me está escuchando? Le digo que *sé lo que son… los vi una noche, cuando… ¡eh-ahhh-ah! ¡e'yahhh!…*"

El grito del anciano fue tan intenso que casi perdí el sentido. Observaba el mar hediondo con ojos desorbitados y su rostro era una máscara de pánico, propia de una tragedia griega. Su mano huesuda se hundió trágicamente en mi hombro y no se despegó, aun cuando miré hacia el punto que señalaban sus ojos.

No se veía nada. Únicamente la marea que crecía y una retahíla de olas que rompían individualmente, apartadas de la estela prolongada y espumosa de las rompientes. En ese momento Zadok comenzó a sacudirme y entonces me di vuelta para mirarlo. Su gélido pánico se transformó en un torbellino de sacudimientos y gestos expresivos. Recuperó finalmente su voz, una voz trémula y balbuceante.

—¡*Huya de aquí*! ¡Huya, porque *nos vieron*…! ¡Huya, por el amor de Dios! No se quede quieto… Ya lo saben… Corra, pronto. *Huya de este pueblo.*

Una nueva y pesada ola se estrelló contra las ruinas del atracadero desolado, mientras el demencial balbuceo del anciano se transformaba en un estridente grito que paralizaba la sangre:

—¡E-yaahhh!… ¡Yhaaaaaaa!…

Antes de que tuviera tiempo de notarlo, se deslindó de mi hombro y salió corriendo como loco hacia la calle, doblando hacia el norte, por delante del desvencijado frente del almacén.

Miré nuevamente hacia el mar, pero nuevamente no vi nada. Cuando estuve en Water Street y observé la prolongación de la calle, no encontré ni una señal de Zadok Allen.

IV

Me cuesta describir el estado anímico que me invadió luego de esta escena lamentable, tan absurda y conmovedora como ridícula y espeluznante. Aunque el joven de la tienda me había prevenido, lo sucedido me había dejado perplejo y desconcertado. A pesar de que se trataba de un relato cándido, la incoherente seriedad y el temor del anciano Zadok me habían inquietado de un tal que sentía multiplicado mi desprecio hacia ese pueblo aparentemente rodeado por una sombra imprecisa.

Más tarde, reflexionaría sobre los detalles de esa historia para vislumbrar su cuota de realidad. Ahora, no quería pensar más en eso. El tiempo corría peligrosamente: según mi reloj, eran las siete y cuarto, y el autobús para Arkham salía a las ocho de la Plaza, de modo tal que intenté orientar mis ideas al mundo práctico y me desplacé rápidamente por las calles míseras y desoladas, buscando el hotel donde había dejado mi valija y frente al cual tomaría el autobús.

El resplandor dorado del crepúsculo le daba cierto tinte místico y plácido al paisaje de techumbres y chimeneas desvencijadas. Sin embargo, me sentía temeroso. Miraba instintivamente hacia atrás con disimulo. Me figuraba la tranquilidad que sentiría cuando estuviera lejos del hediondo pueblo de Innsmouth y deseaba que hubiera otro vehículo para partir que no fuera el del ominoso Sargent. No obstante, no quería correr. Los detalles arquitectónicos me seguían sorprendiendo a cada paso y, por otro lado, tenía tiempo suficiente. Observé el esquema que me había trazado el empleado de la tienda y decidí tomar por Marsh Street, que me era desconocida, para salir a Town Square. Próximos a la esquina de Fall Street comencé a ver grupos aislados de gente escurridiza que murmuraba. Cuando finalmente llegué a la Plaza, vi que todos los merodeadores se habían reunido frente a la puerta de Gilman House. Se me figuraba que aquella multitud de ojos desorbitados y fijos estaban cayendo sobre mi persona, mientras solicitaba mi valija en el vestíbulo. En mi interior rogaba no tener por compañero de viaje a ninguno de aquellos desagradables sujetos.

Poco antes de las ocho, apareció el autobús haciendo bulla y cargando tres pasajeros. Un sujeto de rasgos extravagantes le dijo al conductor algunas palabras incomprensibles desde la vereda. Sargent sacó el bolso del correo, con un montículo de periódicos, e ingresó en el hotel. Los pasajeros, mientras tanto, que eran los mismos que había visto llegar a Newburyport aquella

mañana, se dirigieron hacia la vereda con paso si-
nuoso e intercambiaron con uno de los merodeadores
palabras lánguidas y guturales en un idioma que evidentemente no era inglés. Subí al vehículo vacío y me
senté en el mismo sitio que había elegido al venir, pero
apenas lo hice apareció Sargent y me dijo cosas con
un desagradable acento gutural.

Parecía que la suerte estaba en mi contra. Aparentemente el motor no estaba bien; había conseguido
llegar hasta Innsmouth pero era imposible continuar
el viaje hasta Arkham. Era también imposible reparar-
lo esa noche y tampoco existía otro transporte. Sargent
lo lamentaba, pero yo tenía que pernoctar en el hotel
Gilman. Era probable que el conserje me hiciera un
precio adecuado. No tenía otra opción. Realmente perplejo por este imprevisto problema y temeroso ante la
idea de tener que parar la noche allí, bajó del autobús
y entré en el vestíbulo del hotel donde el conserje de
la noche —un hombre raro y de aspecto rústico— me
informó que tenía una habitación en el penúltimo piso,
la 428, que era espaciosa pero carecía de agua corriente, y costaba un dólar la noche.

A despecho de lo que me habían contado en Newburyport sobre este hotel, firmé el libro de viajeros,
aboné el dólar correspondiente, permití que el conserje cargara mi valija y subí con él los tres tramos de
las escaleras destartaladas; finalmente, arribamos a un
corredor desierto y lleno de polvo que desembocaba
en mi habitación. Se trataba de una habitación interna
luctuosa, con dos ventanas y muebles desvencijados

y de mal gusto. Las ventanas, que daban a un patio oscuro, tapado por dos edificios bajos desiertos, permitían ver todo un paisaje de techumbres derruidas que se alargaba hasta el ocaso, llegando hasta las marismas que circundaban el pueblo. Al final del corredor había un baño, una deprimente pieza de museo que tenía un lavatorio de mármol, una bañadera de estaño, una lamparita floja, las cuatro paredes despintadas y cuantiosas tuberías de plomo.

Todavía había luz de día, de modo que bajé a la Plaza para procurarme la cena y otra vez creí que los merodeadores me miraban de un modo particular. Como la tienda de comestibles ya estaba cerrada, tuve que ir inevitablemente al restaurante. Un hombre de cabeza angosta y ojos fijos y una mesera de nariz aplanada y manos grandes y torpes se ocuparon de mí. Como todas las mesas estaban ocupadas, debí sentarme en el mostrador, y así comprobar que toda la comida que se servía era felizmente enlatada. Me sacié con una taza de sopa de verduras y prontamente volví a mi fría habitación en el hotel Gilman. Cuando entré tomé el diario de la tarde y una revista preñada de heces de moscas que había sobre un anaquel maltrecho, junto al escritorio del conserje.

Cayó el sol completamente y anocheció. Encendí la única luz de la habitación, una lamparita lúgubre sobre la cama de hierro y seguí leyendo como pude la lectura que había iniciado. Me parecía provechoso mantener mi mente ocupada en cosas sanas. Me asustaba la idea de seguir enfrascado en los extraños asuntos que aquejaban a aquel mísero pueblo mientras estuviese dentro de sus límites. La absurda historia que había escuchado del anciano ebrio no presagiaba brindarme sueños gratos. Supe que debía obturar dentro de mí la imagen de sus ojos aguados y demenciales.

También debía desatender lo que el inspector de Hacienda le había contado al empleado de la estación de Newburyport acerca de Gilman House y el vocerío de huéspedes nocturnos... También debía alejar de mi mente el rostro que había visto debajo de la tiara en la cavernosa entrada de la cripta, ya que pensar en eso me provocaba una impresión muy incómoda. Tal vez hubiera sido más fácil dilapidar todas estas ideas si mi habitación no hubiese sido tan terriblemente luctuosa. Por otro lado, el hedor a pescado que inundaba todo el pueblo, allí se mezclaba con un ámbito de presa humedad, que se vinculaba necesariamente con halos de carroña y muerte.

Algo que me preocupaba muchísimo era que la puerta de mi habitación no tenía cerrojo. Parecía muy claro que lo había tenido hasta hace poco y que se lo habían quitado, por ciertas señales. Indudablemente se había malogrado, como tantas cosas de este asqueroso edificio. Para hacer algo con mi nerviosismo, busqué por ahí y encontré en el armario un cerrojo igual al que habría tenido la puerta. Intenté colocarlo, únicamente con el fin de aquietar mi tensión, con la navaja que siempre llevo conmigo. El cerrojo iba perfectamente. Me alivió pensar que estaría bien cerrado mientras yo durmiera. No se trataba de que yo lo considerara estrictamente necesario, pero todo lo que sirviera para acrecentar mi seguridad, colaboraría con mi descanso. Las dos puertas laterales que comunicaban con las habitaciones contiguas tenían su cerrojo y me cercioré de que estaban echados.

No me quité la ropa. Decidí leer hasta que tuviera sueño. Sólo me quitaría la chaqueta, el cuello, los zapatos y dormiría un poco. Busqué la linterna en mi valija y la metí en mi bolsillo, de modo tal de poder consultar el reloj si me despertaba a medianoche. El tiempo transcurrió y el sueño no me invadía. Cuando reflexioné sobre el curso de mis pensamientos, comprendí que inconscientemente estaba tenso, preocupado, con el oído expectante, en espera de algún sonido que me provocaría un terror infinito, aunque no tuviera sentido. La versión sobre lo ocurrido al inspector debió influir sobre mí más de lo que esperaba. Quise seguir leyendo, pero no lo logré.

Había transcurrido cierto tiempo, cuando creí oír el crujido de los escalones y el piso del corredor, como si alguien estuviera avanzando con disimulo. Me tranquilicé pensando que los demás huéspedes se estaban dirigiendo a sus habitaciones. No se oía ninguna voz. Pero igual, sentía que en aquellos ruidos había algo furtivo e impreciso. Eso me preocupó y pensé si no sería mejor pasar la noche en vigilia. Los habitantes de aquel pueblo eran sumamente sospechosos y era indiscutible que habían acontecido varias desapariciones. ¿Acaso estaba en uno de esos hostales donde se asesina a los pasajeros para robarles? Ciertamente, yo no parecía estar nadando en la abundancia. ¿O quizás los habitantes del pueblo despreciaban hasta ese límite a los turistas curiosos? ¿Los había provocado con mi curiosidad? Ya que era evidente que me habían visto recorrer con el plano en la mano las zonas más características del pueblo... Sin embargo, pronto comprendí que debía estar demasiado aterrorizado para que unos escasos crujidos ocasionales pudieran producirme semejante estado de perturbación. Igualmente, lamenté no tener un arma en mi mano.

Por último, invadido por un cansancio que no vinculaba con el sueño, eché el cerrojo recién colocado, apagué la luz y me tiré en la cama sin sacarme la chaqueta, ni el cuello ni los zapatos. Las tinieblas parecían acrecentar todos los pequeños ruidos nocturnos. Fui poseído por una infinidad de luctuosas ideas. Hubiera querido no haber apagado la luz, pero me sentía demasiado cansado para incorporarme y encenderla nuevamente. Finalmente, después de un tiempo prolongado y luego de una retahíla de crujidos contundentes y diferentes provenientes de la escalera y el corredor, oí un roce suave y distinguible donde confluyeron todos mis temores. Era indudable: estaban intentando, furtiva y cautelosamente, a ciegas, abrir con una llave el cerrojo de mi habitación.

La sensación de riesgo que atravesé entonces no fue demasiado inquietante, tal vez por toda la serie de imprecisos temores que había estado sintiendo. Aunque sin definir exactamente la razón, estaba en guardia instintivamente y esto suponía cierta ventaja para el momento en que me enfrentara con el pleito verdadero que me estaba esperando. De todas maneras, el hecho de que mis indeterminadas ideas encarnaran en una amenaza real y próxima me sacudió emocionalmente. Ni un solo instante creí que el que estaba forcejeando en mi cerrojo podría haberse equivocado de habitación. Desde el principio creí que albergaba oscuras razones, de modo tal que me quedé mudo como un muerto en espera de los próximos sucesos.

Luego de un tiempo, oí que el forcejeo había terminado y que estaban ingresando en la habitación contigua a la mía. Después quisieron abrir el cerrojo de la puerta que comunicaba con mi cuarto. Naturalmente, el cerrojo resistió y se oyó el crujido de las pisadas del intruso que se alejaba. Más tarde oí otro ruido apagado. Abrían la otra habitación contigua y poco después probaron abrir la otra puerta lateral que comunicaba las habitaciones, que también tenía echado el cerrojo. Finalmente, las pisadas se fueron atenuando en dirección a la escalera. Quienquiera que fuera el visitante, había comprobado que todas las puertas de mi habitación tenían echado el cerrojo y había desistido de su plan. Al menos por el momento.

Creé un plan de acción tan velozmente que era evidente que en mi subconsciente había estado temiendo alguna amenaza y que durante largas horas había estado considerando, sin conciencia, las posibilidades de una huída. Comprendí, desde el comienzo, que el intruso que había querido abrir simbolizaba un riesgo que no debía asumir, sino del que debía alejarme. Debía escapar del hotel lo más rápido posible y, por supuesto, no debía usar la escalera ni el corredor.

Me incorporé silenciosamente. Visualicé la toma de luz con mi linterna. Mi propósito era tomar algunos objetos de la valija, cargarlos en mis bolsillos y huir con las manos libres. Quise encender la luz pero fue en vano: habían cortado la corriente eléctrica. Era obvio que el frustrado atentado había sido preparado minuciosamente, aunque yo ignoraba el fin del mismo. Mientras pensaba estas cosas, sin apartar mi mano de la toma de luz, oí un sordo crujido en el piso inferior; creí distinguir murmullos de conversación, pero inmediatamente después consideré que me había confundido. Indudablemente eran roncos gruñidos y graznidos mal articulados que no se vinculaban con ningún lenguaje humano. Después vino a mi mente con insistencia lo que el inspector de Hacienda había oído una noche en ese mismo hediondo y derruido hotel.

Gracias a mi linterna conseguí tomar lo que precisaba de mi valija, lo puse en mis bolsillos, me coloqué el sombrero y me aproximé silenciosamente a la ventana para especular sobre mi posible descenso. No había escalera de incendios en aquel lado del edificio, a despecho de la reglamentación vigente, y mis ventanas estaban en el cuarto piso. Como ya he dicho, daban a un patio oscuro, tapado por dos edificios bajos desiertos, cuyas techumbres oblicuas alcanzaban el cuarto piso. Pero, de todas maneras, no podía saltar a ninguna de ellas desde mis ventanas, sino desde dos habitaciones más allá, a un lado y al otro. De inmediato, empecé a elucubrar sobre las posibilidades de ir hacia cualquiera de ellas.

Decidí no salir al corredor, donde indudablemente mis pisadas serían oídas y me toparía con cientos de escollos para ingresar a la habitación que necesitaba. Sólo podría pasar a través de las puertas laterales, poco resistentes, que comunicaban todas las habitaciones entre sí. Debería forzar las cerraduras presionando con mi hombro, en caso de que estuvieran cerradas por el otro lado. Creí que era lo más probable, ya que las puertas parecían tener escasa resistencia. De todos modos, sería imposible no hacer ruido. Debería ser lo suficientemente veloz para llegar a la ventana antes de que cualquier ser enemigo abriera la puerta que daba al corredor. Reforcé la puerta de mi propia habitación en este sentido con un escritorio que desplacé intentando no hacer ruido.

Sabía que mis chances eran pocas pero estaba totalmente dispuesto a enfrentar cualquier eventual peligro. Incluso aunque pudiese llegar hasta el tejado de los edificios vecinos, la solución sería incompleta porque debería resolver cómo llegar al suelo y cómo huir del pueblo. En mi haber contaba con el aspecto desértico y ruinoso de estos edificios y las innumerables claraboyas que se veían en sus techumbres.

Eché un vistazo al plano que me había dado el muchacho de la tienda. El rumbo más provechoso para salir del pueblo era el sur, de modo tal que me dirigí en principio a la puerta lateral correspondiente. Se abría hacia mí; así que, luego de correr el cerrojo y certificar que así y todo no se abría, decidí que sería muy dificultoso forzarla. Por lo tanto, dejé esa dirección y corrí la cama contra esa puerta para evitar cualquier hostilidad desde aquella habitación. La otra puerta se abría hacia el otro lado. Ése sería mi rumbo, a despecho de comprobar que estaba con llave y que tenía el cerrojo echado del otro lado. Si lograba llegar al techo del edificio de ese lado, que correspondía a Paine Street y lograba bajar al suelo, tal vez podría atravesar rápidamente el patio y uno de los dos edificios para salir a Washington Street o Bates Street. También podía saltar directamente sobre Paine Street, luego girar hacia el sur e ingresar finalmente en Washington Street. Fuese como fuese, tenía que ir hacia Washington Street y escapar del radio de Town Square. Era conveniente no pasar por Paine Street, porque el cuartel de bomberos podía estar abierto toda la noche.

Mientras pensaba todas estas cosas, observé la infinita ola de techumbres derruidas que se estiraba bajo la lumbre lunar. A la derecha, el hoyo negro de la garganta del río lastimaba el paisaje. Las fábricas desiertas y la estación ferroviaria se afianzaban en ambos costados como lapas. Más atrás, podían verse las vías oxidadas y la ruta de Rowley que cruzaban el llano cenagoso, decorado con montículos de maleza seca. Más cerca, a la izquierda, atravesada por cuantiosas corrientes de agua de abundante salitre, se veía la ruta de Ipswich, brillando bajo el resplandor lunar. Desde mi ventana, no llegaba a distinguir la ruta que iba hacia el sur, a Arkham, lugar a donde pensaba escapar.

Meditaba, presa de las dudas, sobre el momento oportuno de concretar mi plan, cuando oí abajo unos ruidos imprecisos, que fueron seguidos inmediatamente por un pesado ruido en la escalera. El centelleo de una luz se filtró por las rendijas de la puerta y la estructura del corredor crujió bajo un peso considerable. Oí unos sonidos guturales, tal vez de un humano, y luego unos fuertes golpeteos en mi puerta.

Durante un instante, contuve la respiración y esperé. Creí que estaba transcurriendo un tiempo infinito. Y súbitamente, el hediondo olor a pescado se intensificó. Entonces, los golpes se repitieron insistentemente, en un modo cada vez más urgente. Saqué el cerrojo de la puerta lateral y me dispuse a arrojarme contra ella para abrirla. Los golpes eran más y más fuertes; con suerte amortiguarían el ruido que yo iba a hacer. Finalmente comencé a arremeter contra la delgada chapa una y otra vez, sin tener en cuenta el dolor que me causaba en el hombro. La puerta resistía más de lo previsto, pero no abandoné mi esfuerzo. Mientras tanto, la bulla del corredor crecía delante de mi puerta.

Finalmente, la puerta contra la que estaba presionando cedió, pero con un estruendo que evidentemente debieron oír los de afuera. Los golpes se transformaron en embestidas violentas, y simultáneamente pude oír un angustiante sonido de llaves en las dos puertas vecinas a la mía. Me apuré hacia la otra habitación y logré pasar el cerrojo a la puerta del corredor antes de que la abriera, aunque en ese momento oí cómo intentaban abrir con llave la tercera puerta, perteneciente a la habitación cuya ventana yo quería alcanzar.

Durante un momento, sólo sentí desesperación. Sería atrapado en una habitación cuya ventana no presentaba ninguna salida. Una estela de pánico se apoderó de mí cuando vi, con la luz de mi linterna, los rastros que habían dejado en el suelo polvoriento quienes antes habían intentado forzar la puerta lateral. Luego, imbuido en un acto meramente intuitivo, sin discernimiento alguno, me precipité hacia la siguiente puerta de comunicación con el objeto de derribarla.

El azar me fue propicio... La puerta de comunicación no solamente no estaba con llave, sino que también se hallaba entreabierta. Ingresé en un salto y apoyé mi rodilla y mi hombro sobre la puerta del corredor que en ese instante estaba siendo abierta. Tomé por sorpresa al que estaba intentando entrar, de modo tal que logré pasar el cerrojo y también lo hice con la puerta que acababa de pasar. En los escasos siguientes momentos de tranquilidad, oí que las embestidas contra las otras dos puertas menguaban, en tanto crecía una confusión de sonidos en mi habitación de origen, cuya puerta lateral yo había trabado con la cama. Era obvio, que la banda de mis perseguidores había ingresado por la habitación contigua del otro lado e iba en mi busca por el mismo camino. En ese preciso momento, oí cómo metían una llave en la puerta del corredor de la habitación siguiente. Estaba rodeado.

La puerta lateral de esta habitación estaba abierta completamente. No tenía tiempo para tapar la del corredor, que ya estaban abriendo. Solamente atiné a pasar el cerrojo a la puerta lateral de comunicación, como había hecho con la de enfrente y coloqué una cama contra una y un escritorio contra la otra, y el aguamanil contra la puerta del corredor. Estos improvisados escollos debían servirme hasta que hubiera saltado por la ventana hasta el techo del edificio que daba a Paine Street. Sin embargo, el pánico que yo sentía en esta instancia no se debía en absoluto a mis precarias maquinarias defensivas. Lo que me aterrorizaba era que ninguno de mis perseguidores había pronunciado una palabra humana y comprensible, sino únicamente ciertos jadeos, gruñidos y sordos ladridos.

Mientras desplazaba los muebles y me acercaba a la ventana, oí un frenético movimiento desde el corredor hacia la habitación contigua a la que yo estaba. Del otro lado, ya no se oyeron embestidas. Era presumible que la mayoría de mis enemigos se estaba reuniendo frente a la frágil puerta lateral. Afuera, el resplandor lunar caía sobre el techo de abajo. El declive de mi supuesta pista de aterrizaje era tan pronunciado que supe que se trataba de un salto arriesgado.

Elegí la ventana más meridional de la habitación, siguiendo las pautas de mi plan. Pretendía saltar en el lado del techo que daba al patio y hundirme en la claraboya más próxima. Cuando estuviera dentro de uno de esos edificios, debía asegurarme que no me persiguieran. No obstante, tenía fe en que podría llegar hasta la planta baja y salir por una de las puertas abiertas del patio, para arribar finalmente a Washington Street y abandonar el pueblo con rumbo Sur.

Los ruidos de la habitación vecina eran espantosos. La puerta comenzó a tambalear. Mis enemigos se habían provisto de un pesado objeto que estaban utilizando como ariete. Sin embargo, la cama todavía estaba firme contra la puerta, así que podía huir aún. La ventana estaba cubierta por pesadas cortinas de terciopelo, que colgaban de una barra prendidas de argollas de lata. Vi que en el exterior había unos grandes ganchos que servían para sostener las batientes de la ventana. Eso me posibilitaba evitar un salto demasiado peligroso, de modo tal que arranqué las cortinas de un tirón con barra y todo. Enganché velozmente dos argollas en los ganchos exteriores y solté las cortinas al vacío. Aquel pesado manto llegaba fácilmente al tejado. Verifiqué que las argollas y el gancho podían aguantar mi peso y me deslicé por esa inusitada escalera, abandonando para siempre la ominosa construcción de Gilman House.

Apoyé mi pie sobre las tejas sueltas de aquel techo. El declive era muy pronunciado. Logré alcanzar una de las claraboyas sin caerme. Giré para observar la ventana por donde había escapado. Todavía estaba en penumbras. En la lejanía, entre las destrozadas chimeneas de la zona norte, podían verse varias luces. Era el edificio de la Orden de Dagón, de la iglesia anabaptista y de la iglesia congregacionista, que recordaba con intensos escalofríos. Ya que no había nadie a la vista en el patio, pensé que podría escapar por allí antes de que se desatara la alarma general. Enfoqué el fondo de la claraboya con mi linterna y supe que no había gradas para descender. Sin embargo, como la altura no era desmesurada, me tiré y caí en un cuarto polvoriento y repleto de cajas destartaladas y barriles.

El lugar era verdaderamente luctuoso, pero apenas me impresionó. Me dirigí con premura a unas escaleras que vislumbré con mi linterna. Miré mi reloj: eran las dos de la madrugada. Los peldaños dejaron escapar un tenue crujido cuando los atravesaba. Me precipité hacia abajo, llegué al segundo piso que era una suerte de granero, y finalmente arribé a la planta baja. Allí imperaba una perfecta soledad; únicamente el eco devolvía el ruido de mis pasos presurosos. Luego llegué al vestíbulo. En un costado podía observarse un débil rectángulo luminoso que trazaba la puerta que daba a Paine Street. Fui hacia el lado contrario y comprobé que la puerta de atrás también estaba abierta. Descendí cinco gradas pétreas y me encontré finalmente en un patio de losa y césped.

Aunque el brillo lunar no llegaba hasta allí, podía distinguirse el camino sin necesitar la linterna. Ciertas ventanas del Gilman House estaban apenas iluminadas y me pareció oír murmullos dentro. Me desplacé con extrema cautela hacia la salida que daba a Washington Street. Había varias puertas abiertas, así que elegí la más próxima. Crucé un oscuro corredor y cuando llegué a la punta comprobé que la puerta de la calle estaba firmemente cerrada. Decidí probar suerte en otro edificio. Regresé titubeante sobre mis propios pasos, pero me paralicé junto a la puerta del patio.

Por una puerta del Gilman House salía una multitud de figuras imprecisas... Hacían bailar sus linternas en la oscuridad y el patético graznido de sus voces se fusionaba con unos sordos alaridos en una lengua extraña. Estas figuras se contoneaban en un modo singular e indefinible. Comprendí que no sabían qué rumbo había tomado, pero, igualmente, me estremecí de terror. No podía distinguir bien sus facciones, pero su paso encogido y tambaleante me causaba terror irracional. Lo más patético era la extravagante figura enaltecida con una tiara, que yo ya conocía, y que lideraba el grupo. Cuando vi que aquellas figuras se dispersaban en el patio, mi miedo creció. ¿Y si no era capaz de hallar ninguna salida hacia la calle? El hediondo olor a pescado se intensificó de tal modo, que no supe si podría tolerarlo sin desmayarme. Otra vez paseé a tientas, en la oscuridad, buscando una salida. Abrí una puerta e ingresé en un cuarto vacío; las ventanas estaban cerradas pero no tenían trabas. Con la ayuda de mi linterna, abrí las contraventanas. Luego salté al exterior y cerré minuciosamente la ventana, dejándola con el mismo aspecto que la había encontrado.

Por fin, me hallaba en Washington Street. En ese instante, no se veía a nadie ni había otra luz que la lunar. No obstante, en la lontananza, y en las cuatro direcciones, se oían gruñidos, carreras frenéticas y cierto pataleo que no parecía precisamente ruido de pasos humanos. No tenía tiempo para perder. Podía orientarme en la oscuridad, de modo que me sentí dichoso de que las luces de las calles estuvieran apagadas, como suele ocurrir en las poblaciones rurales muy elementales. Aunque ciertos ruidos también provenían del sur, no abandoné mi intención de huir con ese rumbo. Sabía que hallaría cuantiosos umbrales desolados para esconderme, en el caso de que me topara con alguien.

Me desplazaba veloz y sigilosamente, casi adherido a los frentes ruinosos. A pesar de que estaba desprolijo por la premura de mi huída, no tenía nada más que llamara particularmente la atención. Si me topaba con algún caminante, tal vez pasara inadvertido. Cuando estuve en Bates Street, me escondí en un portón abierto y allí esperé hasta que pasaran dos seres trémulos que venían en dirección adversa. Luego salí y continué mi camino. Estaba cercano a la plaza donde Washington Street y Eliot Street se cruzaban en forma oblicua. A pesar de que desconocía el barrio, me pareció riesgoso únicamente por el plano que me había hecho el joven de la tienda. La luna iluminaría plenamente la plaza, pero era infructuoso querer evadirla; tomar otro rumbo suponía hacer demasiados rodeos y multiplicar la posibilidad de ser visto. Sólo podía cruzarla tratando de imitar el paso tambaleante de aquellas figuras, para que nadie se fijara en mí.

No sabía cómo habían dispuesto mi persecución y cuáles eran las causas de la misma. Aunque yo estaba seguro de que todavía no podría haberse extendido la nueva sobre mi huída del Gilman, podía observarse en el pueblo un insólito temblor. Obviamente debía desviarme cuanto antes de Washington Street y tomar alguna otra calle con rumbo al sur. El grupo que había salido del hotel en mi búsqueda seguramente seguía mis pasos. Tal vez había dejado rastros en el polvo del último edificio, de modo que no les sería dificultoso deducir por dónde había escapado a la calle.

Tal como lo había temido, la plaza estaba completamente inundada por la luz de la luna. En el centro se erigían los vestigios de un parque circundado por una verja de hierro. Afortunadamente no había nadie por allí, pero creí oír un murmullo distante, proveniente de Town Square. South Street era una extensa calle que llevaba hacia el puerto, camino abajo. Desde allí podía apreciarse una gran perspectiva del mar. Añoré con fervor que no hubiera nadie mirando hacia la vereda, mientras la cruzaba bajo el brillo lunar.

Avancé sin mayores problemas. No oía ningún ruido preocupante. En el fondo de la calle la superficie del agua se contorneaba esplendorosa bajo la luz magnética de la luna, y mientras la observaba sentí un escalofrío de terror. En la lejanía, lejos del muelle, se alzaba la errante figura del Arrecife del Diablo y, sin quererlo, me vinieron a la mente las absurdas historias que me había relatado el anciano Zadok, en las que se decía que esa roca escarpada permitía el ingreso a zonas ignotas, plagadas de horrores y bestias inverosímiles.

De pronto, titilaron unas luces en el Arrecife remoto. Eran claras y distintas, y engendraron dentro de mí un terror medular. Mis músculos se contrajeron para huir locamente, pero fueron contenidos por un hechizo hipnótico. Para agravar la situación, ciertas luces respondieron desde la cúpula del Gilman.

Traté de dominar mis nervios porque todavía estaba el riesgo de ser visto por cualquier mirada indiscreta y proseguí mi pretendida marcha tambaleante. No obstante, mientras tuve el mar frente a mí, no pude apartar los ojos de aquel luctuoso Arrecife. En ese momento, no pude descifrar el significado de los destellos. Quizá fuesen parte de un extraño rito vinculado con el Arrecife del Diablo. O tal vez alguna embarcación habría atracado en aquella luctuosa roca. Doblé hacia la izquierda y circundé el parque desolado. El mar resplandecía bajo la luz fantasmal. Embrujado por el titilar de aquellas luces misteriosas, no pude apartar mis ojos del Arrecife. En ese instante experimenté la impresión más fuerte. Mi pánico fue tan atroz, que me olvidé de los peligros y salí corriendo por la calle negra y desierta, rodeada de puertas abandonadas y ventanas sin vidrios. Bajo la luz lunar había vislumbrado que en las aguas millones de figuras nadaban con rumbo al pueblo. Puedo decir incluso que aquellos brazos y cabezas que se bamboleaban entre las olas eran tan anormales y deformes que es imposible intentar describirlos.

Mi carrera tuvo su fin antes de la primera esquina, ya que entonces oí a mi izquierda el clamor inconfundible de una persecución con todas las de la ley: pasos firmes, alaridos guturales, rumor de motores... En ese instante debí mutar todos mis planes. Habían interceptado la ruta del sur, de modo que debía buscar otra salida de Innsmouth. Me detuve para solaparme en un portón abierto. De todas maneras, había tenido la ventaja de alejarme de la zona iluminada por el brillo lunar antes de que mis perseguidores aparecieran por aquella esquina.

Inmediatamente después pensé algo menos alentador. Era obvio que no estaban siguiendo mis pasos, ya que la persecución se estaba realizando en otra calle. Desconocían mi paradero, pero era indudable que sus actitudes seguían un plan que buscaba evitar mi salida del pueblo. Esto suponía una vigilancia similar en cada ruta, y me obligaba a huir a campo traviesa, manteniéndome distante de todas las rutas. Pero, ¿cómo lograría huir si toda la zona era cenagosa y estaba minada de canales y marismas? Durante un tiempo, me sentí presa de una angustia honda y negra, inquieto por el hediondo olor a pescado que se intensificaba.

En ese momento recordé el ferrocarril abandonado que iba de Innsmouth a Rowley, cuya firme línea de balasto, atiborrada de zarzales, todavía se estiraba hacia el noroeste, desde la ruinosa estación hasta la garganta del río. Tal vez no pensaran en este rumbo, puesto que los zarzales lo hacían casi imposible. Como la había observado desde la ventana del hotel, conocía su exacta ubicación. Los primeros metros eran demasiado distinguibles desde la ruta de Rowley y desde cualquier piso elevado del pueblo, pero quizás podría recorrerlos entre las zarzas sin ser divisado. De todas maneras, éste era el único camino para huir y no me quedaba alternativa.

Entré en el vestíbulo de la casa abandonada en cuyo portón me había detenido y miré nuevamente con mi linterna el plano. Mi problema era lograr llegar a la vieja estación de tren. Lo más conveniente sería avanzar por Babson Street, doblar después hacia el poniente hasta Lafayette Street, hacer un rodeo en vez de atravesar la plaza como había hecho antes y luego torcer hacia el norte dibujando un zigzag entre las calles Lafayette, Bates, Adams y Bank Street. Esta última que bordeaba el río me llevaría hasta la estación. Circulando por Babson Street evitaría atravesar la plaza o caer en una calle ancha.

Me lancé a correr y crucé a la derecha de la calle con el objeto de avanzar casi adherido a los frentes y así ingresar en Babson Street sin ser visto. Todavía podía oír bulla en Federal Street. Miré hacia atrás y creí ver una luz difusa en la casa de la que acababa de salir. Seguí corriendo con el anhelo de no toparme con nadie y desesperado por llegar a Washington Street. En la esquina de Babson Street observé preocupado que una de las casas parecía estar habitada, por las cortinas de una de sus ventanas, pero no distinguí luces en su interior y pasé sin problemas.

Como Babson Street es perpendicular a Federal Street, corría el riesgo de ser descubierto; de modo tal que me adherí todo lo posible a los ruinosos y deformes edificios. Dos veces me paré en un portón porque sentí que los ruidos crecían detrás de mí. El cruce de las dos calles se mostraba amplio y desierto bajo la luz lunar, pero mi itinerario no me obligaba a cruzarlo. Mientras estuve detenido, sentí nuevamente una retahíla de ruidos extraños; luego pasó un automóvil por el cruce a gran velocidad y tomó Eliot Street, entre Babson y Lafayette.

Inmediatamente después y siendo precedidos por una pestilencia a pescado aparecieron cientos de seres deformes y grotescos que circulaban con el mismo rumbo. Indudablemente era el grupo encargado de custodiar la salida de Ipswich, ya que la calle Eliot deviene en esa ruta. Entre ellos había dos figuras ataviadas con túnicas enormes y una de ellas cargaba una diadema que resplandecía bajo la luz lunar. Esta última tenía un paso tan inhumano que me produjo escalofríos. Diría que caminaba dando saltos.

Cuando el último de la comitiva dejó de verse, proseguí mi camino. Crucé la esquina de Lafayette y atravesé con cuatro pasos Eliot Street. Los estertores ahora se oían más distantes, en Town Square. Lo que más temía era tener que cruzar nuevamente la inmensa South Street, que bordeaba el puerto, pero no tenía otra salida. Si hubiera algún rezagado en Eliot Street, lo más probable sería que me descubriese de inmediato. En el instante final conjeturé que sería más conveniente demorar la marcha y cruzar simulando el paso tambaleante de los oriundos de Innsmouth, como lo había hecho antes.

Cuando nuevamente se presentó ante mí el paisaje marítimo, ahora a la derecha, me propuse firmemente no mirar. Pero fue en vano. Mientras caminaba con paso impreciso, adherido a los frentes, giraba a veces y miraba de soslayo. No se distinguía ningún barco, cosa que no me sorprendió en absoluto. Sin embargo, me asombró ver un bote de remos que iba con rumbo a los muelles abandonados. Estaba cargando un bulto envuelto en hule. La figura de los remeros, apenas visible desde lejos, era singularmente deforme. Todavía podían verse algunos nadadores en el agua. Lejano, en el Arrecife negro, podía distinguirse un tenue pero persistente halo de luz, diferente de la luz titilante que había percibido con anterioridad. Este halo era muy extraño, de un color incalificable. Por sobre las techumbres asomaba la alta cúpula del Gilman, ahora totalmente oscura. El olor a pescado, que se había disipado en los últimos momentos, comenzó a crecer de un modo intolerable.

Apenas crucé la calle, vi que a lo largo de Washington Street venía avanzando una comitiva que provenía de la zona norte. Cuando por fin llegaron a la explanada, donde segundos antes yo había contemplado el angustiante paisaje bajo la luna, pude observarlos con detenimiento, desde apenas una manzana de casas, sin ser visto... Me aterrorizó la anomalía bestial en sus rostros, y su modo animal de caminar.

Uno de ellos se conducía igual que un mono: sus brazos tocaban el suelo intermitentemente. Otro, que
estaba envuelto en extravagantes ropas y coronado con
una tiara, marchaba dando saltos. Creí que se trataba
del mismo grupo que había visto en el patio de Gilman
House. De ser así, se trataba del grupo que seguía más
cerradamente mis pasos. Algunos viraron su mirada
con dirección hacia mí y yo sentí que el terror me apu-
ñalaba. Proseguí, con un terrible esfuerzo, la marcha
tambaleante que había acogido. Aún no sé si entonces
me vieron o no. Si me vieron, mi ardid tuvo su fruto
porque cruzaron la explanada sin torcer su dirección
y prosiguieron sus gruñidos y murmullos guturales,
repugnantes e ininteligibles.

Cuando la penumbra volvió a taparme seguí corriendo como antes y abandoné el conjunto de casas
ruinas y fantasmagóricas de aquel vecindario desértico. Más tarde me crucé de vereda, doblé en la siguiente
esquina y entré por Bates Street, adherido a los edificios. Pasé delante de dos casas, de cuyo interior
emergía cierta luz; una de ellas tenía abiertas las ventanas del piso superior. No obstante, nadie me vio.
Cuando doblé por Adams Street me invadió cierta
calma, aunque súbitamente me atemoricé al ver salir
a un hombre de un portón y dirigirse hacia mí
zigzagueante. Pero estaba demasiado ebrio y no me
vio. De este modo, alcancé sano y a salvo las ruinas
luctuosas de los almacenes de Bank Street.

Absolutamente nadie se desplazaba en la imperante tranquilidad de la calle que estaba junto a la

garganta del río. El sordo clamor del agua que saltaba tapaba por completo el ruido de mis pasos. Tenía un largo trecho hasta la estación ruinosa; las paredes de ladrillo de los almacenes me amedrentaban más que los frentes que había dejado atrás. Por último, llegué a los arcos de la vieja estación, o más bien a los vestigios de ellos, y me dirigí prontamente hacia el extremo de donde surgía la vía.

Los rieles estaban herrumbrosos y plagados de orina, pero enteros y la mayoría de los durmientes estaban en perfectas condiciones. Era muy dificultoso caminar, y más aún correr, por semejante superficie. De todas maneras, adapté mi paso al terreno hasta que pude caminar con cierta velocidad. Durante el primer tramo la vía se unía a la costa del río para terminar finalmente en un puente cubierto que atravesaba el precipicio a una altura vertiginosa. Según el estado del puente, decidiría mi rumbo. Si era medianamente bueno, lo atravesaría; si no debería otra vez adentrarme en las calles y encontrar el puente más cercano, si todavía era posible.

El antiguo puente resplandecía lúgubremente bajo la luz lunar. Las maderas transversales parecían en buen estado, al menos en el comienzo. Encendí mi linterna y entré. Una bandada de murciélagos asustados se desató sobre mi cabeza y casi lograron derribarme. A mitad del puente había un riesgoso hueco entre las maderas. Durante un instante creí que no sería capaz de sortearlo. Pero me aventuré. Salté desesperadamente y afortunadamente caí bien parado del otro lado.

Cuando finalmente dejé aquel espantoso túnel, respiré con alegría. Los antiguos rieles cruzaban River Street, luego dibujaban una curva y luego se metían en un sitio cada vez menos poblado, en donde se disipaba también el olor a pescado que imperaba en todo Innsmouth. La inmensa multitud de zarzas y arbustos dificultaban mi andar y me desgarraban la ropa, pero yo no dejaba de agradecer que estuvieran allí, ya que podían conformar una suerte de escondite si había algún peligro; yo sabía que gran parte de mi camino podía dividirse desde la ruta de Rowley.

Pronto comenzó el suelo cenagoso. La vía lo cruzaba sobre un terraplén de escasa altura, cubierto por una maleza menos apretada. Luego había una suerte de isla de tierra firme un poco más elevada y la vía la cruzaba dentro de una canaleta obturada por zarzas y arbustos. Era agradable caminar sabiéndose protegido dentro de esta canaleta, primordialmente si se tenía en cuenta que, según había visto desde la ventana de Gilman, la vía a esta altura estaba peligrosamente cerca de la ruta de Rowley, que la cruzaba al final de la canaleta y luego se desviaba para no volver a ella jamás. No obstante, por el momento debía moverme cautelosamente.

Antes de ingresar a la canaleta miré hacia atrás. Nadie venía detrás de mí. Los antiguos campanarios y techumbres desvencijados brillaban esplendorosos e inmateriales bajo la misteriosa luz lunar. Este paisaje me hizo reflexionar sobre el aspecto que debía tener el pueblo antes de que esta sombra ominosa cayera

sobre él. Después dirigí mi vista hacia el campo y lo
que pude ver paralizó mi corriente sanguínea.

En un comienzo creí ver un movimiento ondula-
torio en la lontananza, hacia el sur. Parecía que una
multitud infinita estuviese saliendo del pueblo por la
ruta de Ipswich. Estaba muy lejos y no podía distinguir con exactitud, pero me inquietó muchísimo
aquella columna desplazándose. Se contorneaba
demasiado y brillaba mágicamente bajo la luz del poniente. Incluso creí oír ruidos y voces pero el viento
no me dejó corroborarlo. Parecía un pataleo y un rugido
de bestias, más terrorífico que las comitivas del pueblo.

En mi cabeza circularon todo tipo de ominosas
ideas. Reflexioné sobre esos seres todavía más deformes que vivían en las pocilgas del puerto, según se
decía. También recordé los extraños nadadores que
había vislumbrado en el agua. Si pensaba en los grupos que había divisado hasta el momento y los que
seguramente habrían partido hacia las restantes rutas, era inaudito el número de mis perseguidores, sobre
todo si se tenía en cuenta que Innsmouth es un pueblo casi desierto.

¿De dónde provenía entonces aquella tupida muchedumbre que conformaba esa columna remota y
tambaleante? ¿Acaso los ruinosos edificios aparentemente deshabitados guardaban una multitud de vida
secreta? ¿O quizás habían venido huestes de extraños
seres de aquel Arrecife maldito? ¿Quiénes eran? ¿Por
qué estaban allí? ¿Acaso las comitivas de las restantes
rutas eran igualmente numerosas?

Ingresé en la canaleta atiborrada de maleza y trataba de abrirme paso dificultosamente, cuando otra vez reinó en mi entorno el abominable olor a pescado. ¿Acaso había cambiado el viento y venía ahora del mar? Debía ser eso, efectivamente, porque también empezaron a oírse desagradables rumores guturales en estos lugares hasta ahora silenciosos. Y sentí algo, que me perturbó más todavía: un sonido blando, como de un animal que se desplazara a saltos por el suelo pantanoso. Sin explicación, lo vinculé con aquella oscilante columna que se desplazaba por la ruta de Ipswich.

Los ruidos y el hedor se incrementaron, de modo que me incorporé, totalmente temeroso, y agradeciendo estar tapado por la canaleta. Recordé que estaba en el punto donde la ruta de Rowley cruzaba la vía, para luego alejarse definitivamente. El malón se acercaba, de modo tal que me arrojé al suelo esperando que pasara y se perdiera en la distancia. Por suerte, aquellas comitivas no utilizaban perros para rastrear, aunque verdaderamente les hubiera servido poco considerando el olor a pescado imperante en toda la zona. Parapetado entre la maleza me sentía seguro, a despecho de saber que mis perseguidores cruzarían la vía delante de mí a menos de cien metros de distancia. Yo podría distinguirlos pero ellos a mí no, a menos que ocurriese una desgraciada casualidad.

Temblé ante la sola idea de que estuviera cerca. Observé el pedazo de tierra inundado de luz lunar por donde pronto pasarían y pensé que esa porción de naturaleza quedaría inexorablemente corrompida para siempre. Indudablemente, se trataba de los seres más abominables y repugnantes de Innsmouth... Después no querría recordar aquella escena.

El hedor se hizo agobiante; los ruidos se acrecentaron hasta ser una bestial bulla de gruñidos, aullidos y ladridos, sin la mínima correspondencia con un lenguaje humano. ¿Se trataba verdaderamente de las voces de mis perseguidores? ¿O acaso sí llevaban perro? Pero la verdad es que yo no había visto ni un solo animal de cuatro patas en mi deambular por Innsmouth. Creció el ruido de cuerpos blandos y pesados. ¡Nunca sería capaz de mirar los seres ominosos que lo provocaban! Cerraría mis ojos mientras los oyese caminar —o saltar— delante de mi refugio, hasta que no se perdieran en la distancia. La hueste se hallaba próxima... El aire se sacudía con sordos gruñidos, el suelo temblaba ante el ritmo extravagante de sus pasos. Contuve la respiración y me concentré para mantener los párpados cerrados.

Todavía hoy no puedo garantizar si lo que sucedió después fue una realidad intolerable o una pesadilla. Las medidas coercitivas que más tarde tomó el Gobierno luego de mis frenéticas denuncias, permitirán conjeturar que realmente se trataba de una realidad espantosa. No obstante, ¿acaso no es posible tener una alucinación persistente en un ámbito irracional y embrujado como el que imperaba en aquel pueblo habitado por fantasmas? Sitios como ése tienen extrañas particularidades y quizás sus abominables leyendas alteren la psiquis de los hombres que se lanzan a sus calles desiertas y hediondas, sus techos y sus campanarios destruidos. ¿No es posible acaso que una simiente de esquizofrenia contagiosa anide en lo más hondo de Innsmouth como una maldición? ¿Quién podría saberlo después de oír la confesión de Zadok Allen? Ciertamente, los representantes de la ley nunca dieron con el infeliz Zadok, ni pudieron explicar lo que le había sucedido. ¿Cuál es la frontera entre la locura y la realidad? ¿Acaso mi último temor no sea más que una realidad ilusoria?

De todas maneras, intentaré describir lo que creí ver aquella noche, bajo el grotesco resplandor lunar; el peregrinaje de esa hueste de endriagos que, sea alucinación o no, apareció por la ruta de Rowley mientras estuve parapetado entre las zarzas. Porque naturalmente, mi objetivo de tener los ojos cerrados fracasó por completo. Era absurdo intentar algo así. ¿Cómo no iba a mirar, si un ejército de seres anómalos cruzaba dando saltos y croando a sólo cien metros de donde yo estaba?

Antes de verlos ya estaba preparado para lo peor. Para ese entonces había visto demasiadas cosas desagradables en un mismo día y no podía siquiera sospechar que pudieran superar la monstruosidad y la deformidad de los que me habían perseguido por las calles. Pude mantener los ojos cerrados hasta que el ronco rumor se hizo intolerable. En ese instante estaban pasando por delante de la canaleta, donde se cruzaban la ruta y la vía. No pude aguantar más y abrí los ojos.

Eso abrió el abismo. Desde ese momento mi lucidez mental se quebró para siempre y he perdido toda mi fe en la integridad del cuerpo y el alma del hombre. Ni aun creyendo el descabellado relato del viejo Zadok con todos sus pormenores podría haber imaginado la realidad sacrílega y diabólica que experimenté. A propósito intento apaciguar el horror de describirla. ¿Puede ser que en este planeta hayan crecido abominaciones tales y que unos ojos humanos hayan visto encarnar lo que hasta entonces sólo pertenecía al imperio de la pesadilla?

Y no obstante, lo vi. Se trataba de una hueste infinita de criaturas inhumanas que avanzaban dando saltos, gruñendo y aullando bajo la luz fantasmal de la luna; una retahíla absurda y nefasta de fantasía esquizofrénica. Unos tenían grandes tiaras doradas... otros estaban envueltos en extravagantes ropajes... Uno, el que lideraba el grupo, vestía una gran levita que no lograba disimular su gran giba, y un pantalón rayado, y un sombrero de fieltro entronizaba el bulto deforme que sería su cabeza.

La piel de todos ellos era verde-gris, y el vientre era blanco. Casi todos tenían la epidermis brillante y resbalosa, y sus espaldas eran escamosas. Sus formas recordaban levemente al antropoide, aunque sus cabezas eran de pez, con ojos fijos saltones que jamás parpadeaban. A cada lado del cuello palpitaban las agallas y sus garras tenían los dedos palmeados. Saltaban errantemente, a veces erguidos, otras en cuatro patas. Su timbre de voz era un aullido o un gruñido, pero conformaba un lenguaje con todas las variantes expresivas de las que carecían sus rostros impertérritos.

Y a pesar de su carácter abominable, me parecían familiares. Suponía con demasiada precisión quiénes eran. ¿Acaso no recordaba perfectamente la imagen de la tiara que había visto en Newburyport? Eran los mismos peces-ranas que ornamentaban la joya de oro, pero vivos y mostrando toda su ominosidad. Y súbitamente, entendí porque me había perturbado tanto la imagen del sacerdote de la tiara que había visto en la cripta del templo. Aquélla había sido la visión furtiva de la hueste hedionda. Eran miles y miles, auténticos ejércitos, aunque desde mi refugio no podía abarcar toda la extensión de la ruta. Afortunadamente, poco después se desvaneció de mi mente ese paisaje dantesco y experimenté un milagroso desmayo. El primero de mi vida

V

Me desperté con la suave caricia de los rayos solares. Me hallaba en mitad de la maleza, en la canaleta del ferrocarril. Me incorporé y salí zigzagueante hacia la ruta. No se veía ningún rastro en la tierra mojada, ni se sentía olor a pescado en el aire. Las techumbres ruinosas y los campanarios derruidos de Innsmouth se asomaban grises por el sudoeste, pero no había un solo ser vivo en toda la región desierta de las marismas. Mi reloj funcionaba todavía. Eran más de las doce.

Tenía una idea imprecisa de lo que había ocurrido, pero en el fondo de mi psiquis latía algo verdaderamente abominable. Era imperioso que me apartara de la sombra nefasta de Innsmouth, de modo tal que traté de utilizar mis miembros entumecidos y cansados. A despecho de mi debilidad, del hambre, el pánico y la confusión, me consideré capaz de caminar y empecé a hacerlo, ya sin prisa, por la embarrada ruta de Rowley. Cuando anocheció ya estaba en Rowley, había comido bien y llevaba puestas ropas decentes. Tomé el tren de la noche para Arkham, y al día siguiente me presenté ante la ley local para declarar extensamente, situación que repetí al llegar a Boston. La opinión pública ya conoce las derivaciones de mis denuncias y ciertamente quisiera no tener que agregar nada más. Quizá la locura me esté poseyendo. Tal vez esté bajo la amenaza de un horror —extraordinario— todavía mayor.

Como es lógico, abandoné el resto de mi programa —viajes con intereses arquitectónicos y arqueológicos, visitas a museos, etc.— que había planeado con tanta emoción. Tampoco fui a ver una pieza de orfebrería que, según me informaron, estaba guardada en la Universidad de Miskatonic. No obstante, usé mi estadía en Arkham para buscar algunos datos genealógicos de mi familia que anhelaba conocer hace bastante tiempo. Es verdad que los datos que obtuve eran imprecisos, pero ya tendría tiempo de ordenarlos. El encargado de los archivos históricos de Arkham, Mr. Lapham Peabody, colaboró conmigo amablemente y se mostró particularmente interesado cuando le dije que era nieto de Eliza Orne, oriunda de Arkham, nacida en 1867 y casada a los diecisiete años con James Williamson, de Ohio.

Aparentemente un tío materno mío había estado allí mucho tiempo atrás buscando los mismos datos que me interesaban y la familia de mi abuela había sido, o quizá todavía lo era, objeto de grandes comentarios en el lugar. Mr. Peabody me contó que poco tiempo después de la Guerra Civil, cuando se casó el padre de mi abuela, Benjamin Orne, hubo acaloradas disputas porque la tradición familiar de la novia era ignota. Solamente se sabía que era huérfana y que pertenecía a la rama de los Marsh establecidos en New Hampshire y que, aparentemente, era prima de los Marsh del condado de Essex. Como había ido a instruirse a Francia, ella misma desconocía casi todo acerca de su familia. Su tutor, un desconocido para los oriundos de Arkham, había depositado fondos en un banco de Boston para su institutriz francesa y su manutención. Poco después el tutor no dio más señales de vida, por lo que un tribunal cedió este rol a la institutriz. La francesa, que murió hace muchísimo tiempo, era extremadamente discreta. Había quienes afirmaban que si esa mujer hubiera contado todo lo que sabía, muchos misterios habrían sido descifrados.

Lo más extraño era que nadie había podido identificar a los presuntos padres de la joven, Enoch Marsh y Lydia Meserve, como habitantes de New Hampshire. Muchos creían que tal vez mi bisabuela era una hija bastarda de algún Marsh acaudalado. La verdad es que tenía los mismos ojos de los Marsh. De todas maneras, murió muy joven cuando nació su única hija, o sea, mi abuela materna. Me desagradó sobremanera encontrar el apellido Marsh en mi árbol genealógico, habida cuenta del episodio patético que había experimentado y al cual también se vinculaba ese apellido. También me disgustó que el señor Peabody me dijera que yo tenía los ojos característicos de los Marsh. Igualmente le agradecí los datos que me había dado y tomé muchas referencias bibliográficas sobre la familia Orne, que eran abundantes en aquellos archivos.

De Boston partí directamente hacia mi casa, a Toledo. Luego me fui a Maumee, donde permanecí un mes reponiéndome de aquel duro trance. En septiembre regresé a la Universidad de Oberlin para cursar mi último año, y durante todo ese periodo me aboqué exclusivamente a mis estudios y a otras tareas sanas. Únicamente recordé los terrores acaecidos cuando debí recibir a las autoridades que llevaban adelante la pesquisa originada por mis declaraciones. A mediados de julio, exactamente un año después de mi odisea en Innsmouth, pasé una semana en Cleveland con la última familia de mi madre difunta. Durante esos días estuve cotejando los recientes datos genealógicos que había recogido en Arkham, con las diferentes notas, historias familiares y testamentos que allí conservaba mi familia. Mi propósito era determinar un árbol genealógico completo y lógico.

No puedo mentir diciendo que disfruté haciendo este trabajo: el ámbito de los Williamson siempre me ha causado una rara depresión. En él he sentido siempre una persistente tensión macabra. Cuando era niño, mi madre no alentaba el que fuese a visitar a sus padres, pero cuando su padre venía a Toledo lo recibía con gran afecto y algarabía. Mi abuela materna, oriunda de Arkham, siempre me había suscitado una extraña sensación, casi terror. Creo que no lamenté para nada su muerte. Entonces yo tenía ocho años. Se decía que había muerto agobiada por la pena del suicidio de su hijo mayor, mi tío Douglas. Este tío es precisamente quien se pegó un tiro al regresar de un viaje a Nueva Inglaterra donde había consultado los archivos de la Sociedad de Estudios Históricos de Arkham.

El tío Douglas se parecía bastante a mi abuela y nunca me había agradado. Los dos tenían un halo de fijeza en los ojos, como si nunca parpadeasen, que siempre me había perturbado. Mi madre y mi tío Walter eran diferentes, se parecían a su padre. Sin embargo, mi infeliz primo Lawrence, hijo de Walter, siempre había sido idéntico a mi abuela; al menos hasta que su estado mental hizo necesaria su reclusión perpetua en un manicomio. Yo hace cuatro años que no lo visito, pero mi tío dejó ver que su estado mental y físico es ominoso. Quizá ésta fue la razón principal de la muerte de su madre, ocurrida dos años atrás.

Mi familia de Cleveland estaba compuesta entonces sólo por mi abuelo y mi tío Walter viudo; pero la casa seguía teniendo una atmósfera pesada como antiguamente. Ese ámbito se me figuraba tan nocivo, que procuré terminar cuanto antes mi investigación genealógica. Mi abuelo me ofreció mucha información acerca de los Williamson, pero en lo referente a los Orne fue mi tío Walter quien me facilitó las cajas donde se atesoraban cartas, recortes periodísticos, fotografías, miniaturas de la familia.

Revisando las cartas y las fotografías de los Orne, comencé a albergar cierto temor hacia mis antepasados. Ya he dicho que mi abuela y mi tío Douglas

siempre me habían perturbado. Ahora, cuando ya
habían transcurrido varios años de sus muertes, la visión de sus rostros me provocó una sensación
repulsiva. En un comienzo no entendí la causa, hasta
que más tarde cierta comparación fue emergiendo de
mi subconsciente, aunque mi raciocinio se negaba a
admitirla. Indudablemente la expresión típica de esos
rostros me sugería algo que antes jamás hubiera com-
prendido. Sin embargo, ahora esta idea inaceptable
me provocaba un terror indescriptible.

No obstante, me sentí mucho más convulsionado
cuando mi tío me enseñó las joyas de los Orne que se
guardaban en un banco. Algunas eran verdaderamente excelsas, pero había un cofre que contenía extrañas
orfebrerías pertenecientes a mi bisabuela. Creo que mi
tío hubiera querido no abrir el estuche. Me informó
que esas piezas estaban ornamentadas con detalles
monstruosos y absurdos, y que opinaba que jamás
habían sido mostradas en público. No obstante, mi
abuela se solazaba contemplándolas en soledad. Había circulado cierta leyenda sobre el poder nefasto de
estas joyas. La institutriz de mi bisabuela le había acon-
sejado no ponérselas en Nueva Inglaterra; pero
opinaba que en Europa podían llevarse sin riesgo.

Cuando abrimos el cofre y comenzamos a desenvolver las piezas, mi tío me advirtió que no me dejase
perturbar por el extraño efecto de horror que origina-
ban las representaciones. Habían sido observadas por
artistas y arqueólogos y todos habían coincidido en
que se trataba de obras de arte de una singular belleza.

Pero ninguno de ellos pudo identificar el metal que las componía ni la escuela a la que pertenecían. Eran dos brazaletes, una tiara y una suerte de pectoral. Este último está tallado con un relieve de figuras inconcebiblemente extravagantes.

Ahora que lo estoy escribiendo, trato de controlar mi emoción, pero en aquel instante mi rostro debió reflejarla sin dilación. Mi tío se preocupó, dejó de desenvolver las joyas y se quedó mirándome con los ojos perplejos. Le imploré que siguiera y él lo hizo con una nueva cuota de repulsión. Aparentemente temía mi reacción cuando surgiese la primera pieza, la tiara, pero no creo que jamás hubiera imaginado lo que efectivamente ocurrió. Simplemente ocurrió lo que me había ocurrido en la canaleta entre las zarzas el año anterior: me desmayé.

Desde ese día, mi vida ha sido un pantano de paranoias o ideas macabras. Desconozco ahora cuál es la frontera entre la realidad espantosa y la locura. Mi bisabuela era una Marsh de procedencia dudosa y su esposo había vivido en Arkham... ¿Acaso no me había dicho el anciano Zadok que Obed Marsh había conseguido casar a su hija, fruto de su deforme segunda esposa, con un sujeto de Arkham? ¿Y acaso no me había referido el parecido de mis ojos con los del capitán Obed? También el encargado de archivos de Arkham me había dicho que yo tenía los ojos característicos de los Marsh. ¿Era, entonces, Obed Marsh mi tatarabuelo? Y de ser así, ¿quién o qué había sido mi tatarabuela? Tal vez todo esto no fuera más que una retahíla de desvaríos. Esas orfebrerías de oro pálido pudieron haber sido adquiridas por el padre de mi bisabuela a cualquier marinero de Innsmouth. Y el halo de fijeza en los ojos de mi abuela y mi tío Douglas, el que se suicidó, tal vez no fuese más que un espejismo sensorial, una fantasía originada a partir de mi estadía en Innsmouth, cuya remembranza aún me ponía trémulo. No obstante, si es así, ¿por qué mi tío se había quitado la vida después de sondear sobre sus antepasados?

Durante dos años enteros, he procurado apartar de mi mente todos estos pensamientos, a veces con suerte. Mi padre me consiguió un empleo en una compañía de seguros y yo me dediqué íntegramente a mi rutina para no pensar. Pero en el invierno de 1930-31 comenzaron los sueños. En un comienzo eran aislados y subrepticios, luego paulatinamente se vivificaron y aumentaron su frecuencia. En sueños se abrían delante de mí inmensos espacios acuáticos por los que me desplazaba atravesando arcadas sumergidas y muros gigantescos atiborrados de algas. Al comienzo soñé con peces desmesurados que eran mi cortejo en estos paseos submarinos. Luego comenzaron a aparecer otras formas que me aterrorizaban cuando despertaba, pero que en sueños no me causaban el más leve temor... Yo era uno de ellos, estaba ornamentado igual que ellos, recorría mis rutas submarinas y juntos rezábamos en templos sumergidos.

Cuando me despertaba no lograba recordar todo, pero sólo los fragmentos bastarían para que me consideraran un loco o un poeta maldito. Además, sentía una extraña avidez por alejarme de la vida normal y saludable, para cobijarme en lo ominoso y la locura. Luché desesperadamente contra el deseo y ese combate fue desbaratando mi salud. Por último, debí abandonar mi empleo y viví enclaustrado, como un lisiado. Estaba aquejado por una rara patología nerviosa, que incluso a veces me impedía cerrar los ojos.

En ese momento, empecé a escudriñar en el espejo con fruición. Jamás puede ser grato ir descubriendo los rastros de la enfermedad, pero en mi caso había algo más, tenue y misterioso. Mi padre también debió darse cuenta, porque comenzó a mirarme con sorpresa y también con terror. ¿Qué me estaba ocurriendo? ¿Me estaba pareciendo quizás cada vez más a mi abuela y a mi tío Douglas?

Cierta noche tuve un sueño abominable. Soñé que estaba con mi abuela debajo del mar. Ella habitaba un castillo fosforescente, plagado de terrazas, circundado por vergeles donde crecían corales lazarinos y bestiales flores submarinas, y salía a mi encuentro con una grotesca amabilidad. Me comunicó que había sido objeto de una tremenda metamorfosis y que había regresado a las aguas, que no había muerto, sino que se había escapado a un imperio maravilloso al que su hijo Douglas había llegado sin intención, despreciándolo antes del suicidio. Como a mi tío, este imperio también me pertenecía. No podía alejarme de mi destino. Sería eterno y conviviría para siempre con aquellos que ya eran cuando el hombre no había surgido aún en la Tierra.

También me topé con la enigmática abuela de mi abuela. Pth'thya-lyi, así se llamaba, había habitado durante ocho mil años Y'ha-nthlei, lugar al que había regresado luego de la muerte de su esposo Obed Marsh. Y'ha-nthli no había podido ser destruida cuando los humanos arrojaron explosivos al mar. La habían dañado, pero no devastado. Los Profundos jamás pueden ser destruidos, incluso cuando la magia primitiva de los Primordiales, hoy oculta, pueda imposibilitarlos. Hoy descansan, pero un día despertarán para exigir la ofrenda que el Gran Cthulhu añora. Ese día se lanzarán contra una ciudad mayor que Innsmouth. Su propósito es expandirse por toda la tierra y para ello cuentan con algo nefasto que los ayudará en la batalla. Pero todavía no ha llegado el momento. Yo debía padecer un castigo por haber propiciado la muerte de varios compañeros en tierra firme, pero éste no sería demasiado duro. En este sueño vi por vez primera a un *shoggoth*. Cuando lo vi, di un terrible alarido y me desperté. Esa mañana supe en el espejo que mi rostro tenía, inexorablemente, el cariz de Innsmouth.

Hasta hoy no me he suicidado como mi tío Douglas. Compré un revólver y estuve al borde de terminar con mi vida, pero tuve un sueño que me convenció de no hacerlo. Mi pánico y mi angustia han cedido y a veces me siento enigmáticamente enamorado de las profundidades del mar. Ya no me atemorizan las regiones subacuáticas. Cuando duermo, hago y oigo cosas raras, y me despierto excitado, feliz, y sin el más leve temor. Sospecho que no debo aguardar como los otros que me llegue la metamorfosis. Si lo hiciera, quizás mi padre me encerrase en un hospicio, como ocurrió con mi primo Lawrence. Un porvenir maravilloso me espera en los abismos y está próximo. — *¡lä-R'lyeh! ¡Cthulhu fhtagn! ¡Iä! ¡Iä!* No me pegaré un tiro... ¡Mi destino no es el suicidio!

Trazaré un plan para que mi primo pueda huir del manicomio y ambos nos lanzaremos a la paradisíaca ciudad de Innsmouth. Nadaremos hasta el Arrecife y allí nos hundiremos en las aguas abismales hasta la desmesurada ciudad Y'ha-nthlei, la de mil columnas. Y allí junto con los Profundos, viviremos eternamente en un universo glorioso y excelso.

TÍTULOS DE ESTA COLECCIÓN

Este libro se terminó de imprimir
en los talleres de Castillo
y Asociados Impresores,
Camelia 4, col. El Manto,
México, D.F.